VIVRE PARMI LES TISSUS

VIVRE PARMI
LES TISSUS

ELAINE LOUIE

soline
éditions

Pour Anna

© 2001 texte, illustrations et dessins : Octopus Publishing Group Ltd,
Angleterre, pour l'édition originale

Direction éditoriale : Mark Fletcher
Direction artistique : Vivienne Brar
Édition : John Jervis
Maquette : Lovelock & Co.
Iconographie : Jo Walton
Fabrication : Nancy Roberts
Index : Hilary Bird

© 2002 Éditions Soline, Courbevoie, France, pour l'édition française

Adaptation française : Sophie Léchauguette,
avec le concours de Nicolas Blot
Coordination de l'édition française : Philippe Brunet
Réalisation : PHB Services d'édition

ISBN : 2-87677-457-7
Dépôt légal : juin 2002
Imprimé en Chine

SOMMAIRE

INTRODUCTION

Les tissus, anciens ou contemporains, ajoutent de la chaleur à notre vie, non pas simplement d'un point de vue physique, mais aussi sur le plan émotionnel et esthétique. Ils nous offrent une expérience sensorielle indispensable à notre bien-être. Les étoffes enveloppent notre corps, couvrent nos sols et habillent nos lits. Et qu'est-ce qu'une tente après tout, sinon une maison de tissu ? Et le baldaquin d'un lit, sinon une tente dressée à l'intérieur de la maison ?

Que son tissage soit très serré comme celui d'une tapisserie ou pratiquement transparent comme celui des soieries les plus fines et les plus délicates, une étoffe égaye et anime un intérieur. Ce livre, *Vivre parmi les tissus*, met en scène les étoffes qu'il considère comme de véritables œuvres d'art, sources de plaisir certes mais fonctionnelles aussi.

Oubliez ces sols couverts de moquettes industrielles grises, ces fenêtres étouffées par d'épaisses draperies sombres ou ces lits monastiques, avec leurs deux traversins et leurs austères couvertures en laine. Imaginez à la place des sols couverts de tapis teints de garance, tissés à la main il y a cent cinquante ans, et dont les nuances rouge orangé s'estompent très lentement. Rêvez de fenêtres autour desquelles dansent des rideaux gonflés de vent, voyez ces lits

Ci-dessus Un groupe de femmes indiennes se tient sur des tapis à motifs floraux qui se confondent avec la végétation du jardin. Le dais suspendu joue le rôle d'un store et protège du soleil la terrasse de ce petit pavillon, alors que même les marches sont soigneusement recouvertes d'un tapis. Les tissus tiennent ici lieu de mobilier, ajoutant au charme de cet espace entre intérieur et extérieur.

Ci-contre L'homme sculpté sur ce haut-relief n'est ni grec ni romain. Il semble plutôt originaire du nord-ouest de l'Inde, mais le gracieux drapé retombant de la poutre derrière lui n'est pas sans rappeler la sculpture méditerranéenne. Dans les reliefs architecturaux ou ornant les trônes, les hommes et les femmes sont représentés habillés ; les tissus sont également présents dans les dais, les auvents ou les jetés qui recouvrent sièges et trônes. Dans l'art comme dans la vie les textiles adoucissent les angles.

agrémentés, non de deux, mais de six oreillers aux somptueuses housses en indienne imprimée, et peut-être couverts d'un patchwork ou d'une courte-pointe assortie.

Les tissus sont des trésors, témoins d'anciennes civilisations qui, par leur simple existence ou leur présence sur nos murs, nos lits et nos sols enrichissent notre quotidien. La fonction des étoffes dans la société a beaucoup évolué au cours des siècles. Le plus ancien textile connu, une épaisse corde constituée de trois torons de cordelette double, fut retrouvé dans la grotte de Lascaux – il date de 15 000 avant notre ère. Selon l'historienne Elizabeth Wayland Barber, auteur d'un livre consacré aux ouvrages des femmes à l'aube de l'humanité, les gens se servaient de ces cordelettes tressées dans de l'aubier pour se guider dans l'obscurité quand ils empruntaient les passages traîtres menant d'une salle à l'autre de la grotte.

Nos ancêtres utilisaient toutes sortes de végétaux, lin, chanvre, ramie, sisal, orme et saule, pour tresser des cordelettes, des cordes, des paniers ou des jupes. Puis – et cette invention eut un effet retentissant sur l'histoire des textiles – vers 5500 avant notre ère naquit le métier à tisser. Quand les Égyptiens construisirent des structures pour s'abriter de la chaleur et de la lumière du soleil, ils tressèrent des nattes aériennes pour confectionner des cloisons laissant passer la brise et tissèrent des tentures pour les toits.

Ci-dessous Dans cette scène médiévale, des femmes sont réunies dans une pièce somptueusement ornée de tentures et de tissus précieux. Les tapisseries, dont certaines ornées de fleurs de lys, couvrent tous les murs, alternant avec les pans à losanges. L'extraordinaire baldaquin du lit de droite soutient un éclatant tissu brodé d'un motif d'entrelacs. Le sol disparaît sous les tapis. Le lit de gauche, plus simple, est cependant couvert du même tissu dont la chaleur séduit le petit chien blanc

Ci-dessus Le comte Dimitri Tolstoï (1823-1889) était un réactionnaire. Alors qu'il occupait les fonctions de ministre de l'éducation, il interdit l'enseignement des idées révolutionnaires et par la suite approuva la censure des livres. Dans sa demeure à la campagne, il menait la vie d'un aristocrate russe. La maison au parquet incrusté était meublée dans un style cosmopolite européen influencé par la Renaissance. Les magnifiques doubles rideaux laissaient entrer la lumière tout en protégeant l'intimité de la pièce et en affirmant le statut social du propriétaire des lieux.

Les Égyptiens tissaient le lin dès 5000 av. J.-C. ; deux mille ans plus tard, les tisserands indiens découvraient le coton. Et quand en 700 av. J.-C. les Babyloniens évoquaient « l'arbre à laine », ils voulaient sans doute parler du coton.

Puis vint la découverte des fibres d'origine animale – la laine vers 4000 avant notre ère, la soie deux mille ans plus tard – qui s'avérèrent vite plus pratiques que les fibres d'origine végétale. Elles conservaient mieux la chaleur et prenaient plus facilement les teintures, caractéristique qui augmentait encore les possibilités d'expression de la créativité. La mythologie chinoise conserve la mémoire de la princesse Si Ling-chi, qui prenait son thé dehors lorsqu'un cocon de soie tomba dans sa tasse. La chaleur du liquide lui permit de dérouler le fin filament sans le rompre et c'est ainsi qu'elle découvrit tout le parti qu'on pouvait tirer de cette matière.

Ces nouvelles étoffes offraient un potentiel artistique encore plus grand et suscitèrent un nouvel élan créateur qui se traduisit par la production de tapis, de tentures et de couvre-lits aussi fonctionnels que décoratifs. Les armées partirent au combat avec des oriflammes. Des bannières furent suspendues aux portes. En France et en Angleterre on imagina les paravents tendus d'étoffes pour arrêter les courants d'air d'une pièce à l'autre. En Perse, en Turquie et en Afghanistan les tapisseries descendaient des murs, couvraient les divans pour finir de se dérouler au sol. Au Népal, pays qui ne possède pas une longue tradition de beau mobilier, les camelots qui vendent sur les marchés s'assoient par terre sur leurs tapis. Dans le monde entier, on tisse depuis toujours des brides, des harnais et des selles pour les animaux.

Les tissus n'étaient pas seulement fonctionnels, c'étaient aussi des signes extérieurs de richesse révélateurs d'un statut social. Ils représentaient souvent une part non négligeable de la dot des jeunes filles. En Palestine, les petites filles apprennent à broder dès l'âge de six ans pour entreprendre la préparation de leur trousseau. Les jeunes épousées indiennes portent des châles rituels rouges brodés par leur famille ou, en particulier pour les points les plus délicats, par des brodeuses professionnelles.

En 1562, Yan Song, ancien haut fonctionnaire, fit faire un inventaire de tous ses biens. Rien qu'en étoffe, il possédait 14 331 pièces (non encore transformées en vêtements) et 1 304 pièces d'habillement. Que pouvait-il bien faire de ces milliers de pièces de tissu, de satin de soie, de gaze, de velours et de brocarts ? La soie était une monnaie. C'était de l'or.

De nos jours, les tissus n'ont nul besoin d'être précieux ou tissés de fils d'or pour exercer une séduction universelle. Un vieux kilim transformé en une demi-douzaine de coussins donnera un look exotique au plus quelconque des canapés. Un patchwork devenu trop vieux pour vous tenir bien chaud, recyclé en tapisserie murale, trouvera une nouvelle jeunesse par le dynamisme de son motif. Et voilà la courtepointe de Mamie transformée en œuvre d'Op'Art !

Cet ouvrage a été rédigé dans le but d'encourager le lecteur à jouer avec les tissus et les textiles, à les jeter allégrement sur les canapés, à les encadrer, voire à couvrir un mur entier. Les étoffes créent des ambiances, nous enveloppent et stimulent le sens du toucher. Une maison est après tout un nid douillet.

Ci-dessous En 1919, l'architecte allemand Walter Gropius fonda le Bauhaus, pépinière d'artistes qui vit éclore les idées aux origines du modernisme international. Au milieu des années vingt, le Bauhaus quitta Weimar pour aller s'installer à Dessau dans un immeuble de Gropius dont on voit ici une pièce. En accord avec l'esthétique du Bauhaus, qui se voulait antihistorique, Gropius y exposait les objets – tissus et tapisseries – produits dans les ateliers textiles de l'école.

TISSUS CONTEMPORAINS

Quand le XXᵉ siècle ouvrit la porte au modernisme, des architectes d'avant-garde comme Le Corbusier et Gropius, qui croyaient que la forme devait se faire fonctionnelle, plaidèrent pour la suppression des ornements, des références historiques et des styles. Ils prônaient l'usage de matériaux « honnêtes » employés avec économie. La définition que Le Corbusier donna de la maison – « une machine à habiter » – est restée célèbre. La demeure moderne, telle qu'elle a évolué au cours de ces cent dernières années, est généralement structurée par des lignes nettes et baignée de lumière naturelle. Ses murs sont souvent blancs, ses sols en bois brillants, ses fenêtres nombreuses. Les maisons sont devenues des espaces simples, hygiéniques et virginaux.

Pour Kate Carmel, ancienne directrice du Musée américain de l'artisanat, « tout est devenu froid, ennuyeux et répétitif. Donc, pour exprimer votre identité, ayez recours aux textiles. Les tentures murales nous ont ouvert la voie ». Des artistes tisserandes comme Anni Albers et Gunta Stolz se sont lancées dans des expérimentations. « Elles ont créé des tissus pour l'œil moderne, faisant d'une tenture une œuvre d'art, poursuit-elle. Elles ont eu recours au raphia, à la cellophane et aux fils métalliques. »

Les tissus apportent texture, densité et souvent couleur aux pièces modernes toutes blanches. Ils confèrent de la chaleur à une pièce froide et attirent l'œil. Servez-vous de coussins, traversins, tentures et rideaux. Les textiles articulent aussi l'espace et donnent du relief à vos murs, fenêtres et plafonds.

Pages précédentes Pourquoi un voilage devrait-il rester désespérément blanc quand il peut diffuser une teinte rosée, lavande ou de toute autre nuance qui vous plaira ? Il suffit de dissimuler des ampoules dans l'encadrement de la fenêtre puis de les badigeonner d'un gel coloré que l'on remplacera au gré de ses fantaisies. Voilà comment une chambre anodine prend des allures de décor d'un théâtre dont vous êtes le metteur en scène. Le fauteuil en rotin et l'amoncellement de coussins sur le sol offrent un coin intime devant ces fenêtres à l'éclairage romantique.

Ci-contre Le rouge réveille cette austère chambre blanche. Les oreillers adossés à la tête de lit sont relevés par une fine rayure horizontale et les coussins carmin posés devant, avec leur rayure verticale dorée, créent une symétrie parfaite. Les couleurs, associées au volume des coussins, du couvre-lit et des serviettes bien pliées au pied du lit concourent à adoucir la pièce.

Page ci-contre Cette pièce qui opte pour la pureté du ton sur ton blanc nous rappelle les beaux jours du modernisme, quand les architectes avaient proscrit tout élément décoratif. Ici, la touche de couleur est apportée par les tissus – les coussins noir et blanc, la tenture – et par le cube doré qui sort de la colonne centrale.

TEXTURE, ÉCHELLE ET COULEUR

Dans une pièce moderne minimaliste, de larges pans d'étoffe (qu'il s'agisse de tentures, de rideaux ou de tapis) font généralement plus d'effet que de petites pièces. Même s'il est vrai que ni un salon ni une chambre blancs ne sont des galeries d'art, leur design monochrome neutre en fait des fonds idéaux pour mettre en valeur quelque élément spectaculaire, qui accroche l'œil et séduise. Les petits objets sont perdus dans une grande pièce sévère. Voyez les choses en grand, imaginez une décoration mystérieuse et captivante. Dans une pièce toute blanche, les voilages en particulier sauront cacher tout en révélant. Dissimulez le coin d'une pièce, une fenêtre ou une sculpture derrière un voile et vous créerez des épaisseurs de transparence et d'étonnement. Les objets se font évanescents, se cachent et surprennent.

Ci-dessous Trois panneaux de gaze, deux blancs et un jaune, forment une cloison tactile. Le panneau central, jaune lumineux mais pourtant pastel, est un véritable rayon de soleil vertical. La gaze contraste avec l'imprimé à fleurs sur la gauche qui définit un espace intime et clos. Dans cet environnement blanc, les tissus apportent couleur, texture et définition.

Ci-dessus Que pourrait-on trouver de plus aérien et plus léger que le tableau offert par ce coin habillé d'un voile magenta éclatant qui filtre la lumière et sur lequel se détache cette cage en bambou presque transparente ? La couleur réchauffe l'angle de cette pièce et le délicat motif rappelle les arbres à l'extérieur. À l'instar du voile, la cage semble légèrement suspendue dans l'air.

Ci-contre Le rideau blanc, avec son ouverture centrale, est juste assez transparent pour susciter le mystère. Fermé, il masque la vue et nous fait croire que le cercle est la partie la moins opaque de l'étoffe. Ouvert, il nous révèle une fenêtre circulaire. Vous remarquerez aussi le fauteuil arrondi qui se fait l'écho de la forme.

Pages précédentes La tente de plage fait son entrée dans la maison. Un pan semi-circulaire en toile rayée bleu et blanc sépare la douche de la coiffeuse, et bien sûr de la chambre. Les rayures verticales répondent aux horizontales du plafond sans que leur association ne nous donne le vertige. L'espace entre le plafond et les toiles est brillamment éclairé.

Page ci-contre Toutes les rayures indiquent la mer. L'auvent noir et blanc ainsi que le tapis sont des signes, des flèches de toile qui orientent le regard vers la mer au bout de cette terrasse magnifiquement située. On retrouve la toile sur les coussins des chaises et jusque sur la barre horizontale qui soutient l'auvent.

Ci-dessus à droite Dans ce coin salon, l'horizontale caractérise les bandes du patchwork mural et des coussins. Chaque élément est ton sur ton, la tenture un camaïeu allant du bleu pâle au lilas et au gris perle, les coussins déclinant leurs nuances, du vert au doré, du fuchsia au rose clair, du rouge au doré. Les rectangles de soie sur le canapé bleu marine répètent en plus petit le motif du patchwork au-dessus. Mais la soie qui brille renvoie la lumière tandis que la tenture qui l'absorbe fait plus mate.

Jouez les couleurs avec audace. Quand la lumière traverse un voilage, qu'elle soit émeraude, cobalt ou rubis, des ombres colorées dont les nuances et les formes se modifient selon l'heure du jour se projettent au sol. Il y a aussi du mouvement dans la lente danse de la lumière et des couleurs qui se poursuivent sur les murs, les sols et les plafonds.

Quand vous jouez avec les tissus, imaginez que vous êtes graphiste. Pensez à l'effet visuel produit par les carreaux et les rayures, les cercles ou les carrés, et abordez-les d'une manière résolument libre et moderne. Après tout, n'est-on pas affranchi aujourd'hui des contraintes qui pesaient sur les tisserands d'antan quand ils réalisaient des étoffes pour un usage précis ? Les tapis de prière devaient servir à la prière, les portières être devant des portes. Le langage des styles contemporains vous autorise à mettre au mur un tapis indien, sur une commode une couverture bédouine ou sur un lit une tenture de tente persane.

Si vous avez envie d'exposer plusieurs tissus, regroupez-les en les rapprochant par couleurs, textures, formes ou cultures d'origine. Une collection d'une douzaine de coussins thaïlandais en soie, tous de couleurs différentes,

fera plus d'effet que si vous n'en avez que deux. Une cantonnière ou un lambrequin drapé d'un tissu risque de faire spartiate, alors pourquoi ne pas en mettre plusieurs ?

Freddie Leiba, styliste new-yorkais, possède une collection de couvertures indiennes pour éléphant dans des tons ivoire, magenta et safran. Toutes sont somptueusement brodées et parfois incrustées de miroirs. Il utilise ces magnifiques couvertures en couvre-lits et, pour rendre le lit encore plus attirant, il drape négligemment un jeté Hermès en cachemire à son pied ou à un coin. C'est la couleur qui assure l'unité entre les deux étoffes, un jeté couleur chocolat viendra relever une couverture ivoire, à moins que le jeté ne soit cramoisi et la couverture magenta. La couverture pour éléphant est exotique, brillante, scintillante, le cachemire est familier, doux, caressant. Les broderies vives contrastent avec l'uni mais le luxe de la superposition de ces deux matières sur le lit redouble le désir que l'on peut avoir de s'y blottir. L'association de tissus crée des natures mortes tactiles et souples qui attirent non seulement l'œil mais aussi la main.

À l'instar de Freddie Leiba, vous aussi, amusez-vous à superposer plusieurs étoffes sur le sol, les murs ou le divan. Quand l'architecture est minimaliste ou dépouillée comme dans un loft industriel, une vieille grange ou un stérile gratte-ciel, les textiles deviennent encore plus nécessaires. Une atmosphère surprenante, inattendue et

Page ci-contre Cette pièce
est l'expression même du
minimalisme mais sans contours
agressifs. Le tissu mural adoucit
l'effet produit par tout ce blanc,
en apportant texture et
sensualité à un lieu qui sans cela
serait particulièrement spartiate.
Le lit est blanc lui aussi, mais
l'épaisseur de l'édredon
et des deux oreillers lui donne
une apparence plus douillette
que monacale.

Ci-contre Le thème bleu
et blanc domine dans le coin
de cette chambre : la tenture
murale rayée se fond avec
la table ; les chaises de chaque
côté jouent aussi des rayures
marine, que l'on retrouve, plus
fines sur les coussins du canapé.
L'unique coussin à fleurs
contraste avec toutes
ces rayures.

séduisante peut naître de la juxtaposition étudiée d'étoffes très sensuelles comme le cachemire,
le satin de soie et la dentelle ou de tapis tissés à la main et de fonds sobres. Un vaste loft haut de
plafond, aux vieux murs en briques et aux planchers marqués par l'usure est certainement spacieux mais non douillet. Les textiles apprivoisent l'espace.

Un sol est une toile géante qui invite à la multiplication des tapis : un petit, un grand, un
autre à fleurs, puis un uni. Pour Olive, nouveau restaurant new-yorkais, les architectes du groupe
Rockwell de Manhattan ont créé un tapis patchwork avec des morceaux d'anciens tapis orientaux dans les tons rouges et de kilims. Ils ont fait coudre ensemble les différents fragments puis
dérouler le tapis sur le plancher pour l'encadrer. À l'aide de peinture cuivrée ils ont dessiné à
même le sol une bordure de vrilles végétales. Cette dentelle peinte contraste avec la densité des
tapis, la peinture avec le textile : c'est le « chic hippie », comme dit David Rockwell.

MOTIFS ET FORMES

Les tissus muraux ont la même fonction que les tableaux et les photos. Ce sont des manifesta-
tions artistiques changeantes. Des motifs à grande échelle tels ceux d'un plaid tissé, les rayures et
les points ressortiront mieux sur un mur que des petits dessins comme ceux d'un cachemire. Une
immense tapisserie tissée à la main, riche par sa texture, ses boucles et ses sinuosités donnera du
relief à un mur. Si elle est assez grande, elle deviendra elle-même un mur. Un tissu uni peut
presque se confondre avec une peinture abstraite mais il vous invite à le toucher. Tout tissu assez
long pour aller du plafond au sol a vocation à exister seul.

Une pièce textile plus courte ou plus petite gagnera en intensité si elle s'inscrit dans une

Ci-contre En 1972, Jack Lenor Larsen, styliste créateur de textile américain, imagina le tissu ikat laotien, qui sert ici de rideau et recouvre le fauteuil à gauche, en hommage à Jim Thompson. Cet architecte et entrepreneur américain, qui avait fait renaître le tissage de la soie en Thaïlande à la fin de la Seconde Guerre mondiale, disparut en 1967. Larsen réussit à convaincre les tisserands thaïlandais de produire des pièces longues de 36 mètres plutôt que les pièces traditionnelles aux dimensions d'une jupe.

composition. Durant la Renaissance, on avait coutume d'accrocher des tapisseries au mur, puis de placer directement en dessous une table sur laquelle on posait une sculpture. Vous pouvez reprendre cette tradition et imaginer vos propres autels. Remplacez la tapisserie par un châle au tissage lâche, suspendez-le au-dessus d'une petite table en bouleau sur laquelle vous placerez une photo encadrée sur un chevalet.

Un autre type de nature morte consiste à réunir des textiles apparentés. Des carrés Hermès encadrés et accrochés côte à côte ou les uns au-dessus des autres produiront autant d'effet qu'un ensemble de gravures naturalistes ou de sérigraphies d'Andy Warhol. Les tissus sont aussi très utiles pour masquer les défauts, l'irrégularité d'une surface par exemple, ou pour offrir un peu d'intimité. Les murs habillés de tissu contribuent à une meilleure insonorisation.

Quand vous allez au théâtre, le grand rideau de velours qui vous sépare de la scène annonce le suspense et le jeu. Votre maison est votre théâtre privé, il s'y passe toute sorte de péripéties; l'emploi de tissus en guise de portes aura un effet tout aussi spectaculaire. Ils sont silencieux et mystérieux, créent l'attente en s'ouvrant et se fermant, en révélant ou cachant. Les cloisons textiles dissimulent mais ne filtrent pas les bruits, aussi ne les utilisera-t-on que lorsqu'il n'est pas nécessaire d'assurer l'intimité du lieu.

Elles fonctionnent bien autour des salles à manger, des cuisines et des salons mais sont moins conseillées dans les chambres, les salles de bains ou les bureaux où l'on souhaite généralement s'isoler au calme. Quand vous utilisez de grands lés entiers allant du plafond au sol pour créer des cloisons, des tentures, des œuvres d'art mural, des drapés ou des rideaux, la longueur des tissus devrait être sensiblement la même. Le look moderne est dépouillé : il aime les perspectives et les plans dégagés.

Dans les vastes demeures, maisons du XVIIe siècle pleines de courants d'air ou lofts industriels reconvertis, les cloisons en épais tissus contribuent à conserver la chaleur et

Page ci-contre Le tissu blanc en trois longueurs a ici plusieurs fonctions. Il habille les fenêtres de la mezzanine et sépare les différents espaces, étages inférieur et supérieur, escalier et cuisine. L'immense double rideau qui descend du haut a autant de présence qu'un rideau au théâtre.

Ci-dessus Les panneaux de gaze blanche gèrent la lumière et l'air qui entrent dans cette véranda ouverte. Ils volent au vent tout en protégeant la véranda et l'espace intérieur vitré de la lumière éclatante, aveuglante même, du soleil. Le tissu uni est accroché à la grille horizontale. La lumière projette ses ombres sur les rideaux, dessinant de subtils motifs toujours en mouvement.

Ci-contre Comme une immense voile, ce pan de tissu accroché en un point central dans le haut et se gonflant sur les côtés atténue la luminosité dans ce salon où le blanc est roi. Le tissu ombrage la pièce tout en laissant la lumière pénétrer par les fenêtres. La lumière et l'ombre jouent en permanence avec le quadrillage formé par les encadrements de fenêtre du pan incliné, magnifiés à travers le tissu.

à rendre une salle accueillante et confortable. « Avant le chauffage central, les gens se regroupaient dans quelques pièces pour l'hiver », se rappelle le designer d'intérieur Mario Buatta de Manhattan. « Ils se servaient d'épais rideaux en lin doublés de couvertures pour empêcher le froid de rentrer. »

Lucinda Lang, agent immobilier, loue des maisons de vacances sur sa propriété dans l'État américain du Maine. Elle utilise des rideaux de lin en double, vert pâle d'un côté et gris taupe de l'autre, pour séparer le salon entouré de baies vitrées sur trois côtés. L'été, elle les laisse ouverts mais en hiver elle les tire afin que le froid venant de cette pièce non isolée ne gagne pas le cœur de la maison.

En été, d'immenses pans d'un tissu transparent léger, un drap de coton uni, une longueur de toile vous protégeront de la lumière trop vive et ombrageront différentes pièces et le patio. Mais ne vous contentez pas de simplement accrocher les tissus de part et d'autre des fenêtres. Suspendez-les en créant des panneaux ou en vous arrangeant pour que le vent les fasse gonfler. L'alternance de panneaux et de vides crée l'illusion d'une succession d'espaces clairs et sombres.

GRANDES TENTURES ET PETITS ESPACES

À Manhattan, Michael Pierce et D. D. Allen, du cabinet d'architecture Pierce et Allen, ont créé un intérieur où ils ont flanqué les deux côtés de la salle à manger d'un velours doublé, vert bouteille d'un côté et rose pâle de l'autre. La tenture confère une aura de mystère à la pièce, on croit pénétrer dans un lieu extraordinaire. Une fois les rideaux-cloisons fermés, c'est un espace intime et puisqu'on ne voit plus les lumières de la ville, on s'éclaire à la bougie, mais un plafonnier diffuse une lumière d'ambiance.

Ci-contre Aucune pièce ne devrait être terne, pas même la salle de bains. Chez le styliste londonien Peter Steake, la pièce la plus privée, la plus intime, trop souvent délaissée, est révélée par une entrée somptueuse. Il a accroché une quantité impressionnante de tissu devant sa spacieuse douche. Des cordelettes terminées par des glands retiennent le drapé.

Ci-contre Cette pièce ne se contentera pas d'un store banal : admirez l'effet produit par ces rayures magenta, roses et jaunes devant la fenêtre. Le tissu légèrement transparent permet de discerner le feuillage à l'extérieur. Le soleil prend des colorations rose doré en se déversant sur les coussins assortis sous la fenêtre.

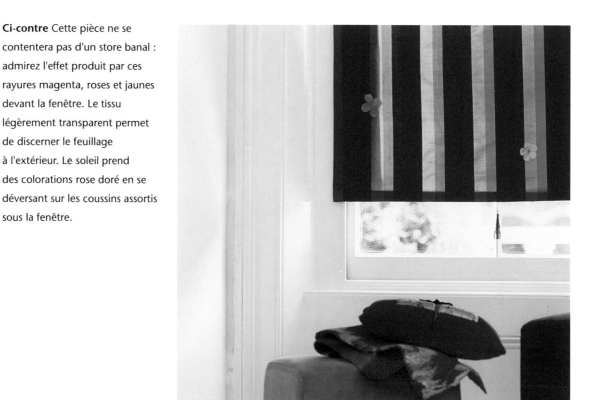

Ci-contre Helene Verin, styliste
créatrice de papiers peints,
de mobilier et de chaussures,
a dit un jour que toute pièce
de tissu de grande dimension
était un jeté potentiel. Toutes
les écharpes peuvent donc se
muer en bannières que l'on
suspendra verticalement,
ou comme ici, horizontalement,
pour les laisser voleter dans l'air.
L'étoffe grise effrangée, écharpe
ou simple longueur de tissu,
est suspendue à une tringle.
Elle sert de contrepoint à l'étoffe
pêche qui semble la doubler.

Page ci-contre La soie épouse
le rustique dans cette salle
à manger. Tables, chaises
et bancs ne pourraient être plus
simples mais la présence
des tissus – chemins de table
et coussins de soie – ajoute juste
la sophistication nécessaire.
Les chemins de table sont posés
en travers de la table,
renouvelant la tradition qui les
place dans l'autre sens.
Les coussins sont source de
couleur, de texture et surtout
de confort.

Des pans de tissu simplement drapés autour de fenêtres bordant un couloir seront du plus bel effet, surtout si le tissu, trop long, vient se poser au sol, où il prendra évidemment la poussière, mais où surtout il conférera à l'espace une généreuse plénitude. Il en est des rideaux comme des traînes sur les robes des mariées.

Si vous souhaitez habiller une fenêtre sans afféterie mais en créant un effet maximum, remplacez les immuables stores blancs en vinyle par un imprimé à larges motifs. Les grosses rayures, les points ou les fleurs, à la fenêtre d'une pièce par ailleurs sobre, produiront autant d'effet qu'une toile de maître. Si plusieurs fenêtres sont côte à côte, essayez de jouer les couleurs primaires, rouge, jaune, bleu en alternance.

Il n'est aucun aspect d'une pièce qui ne puisse être mis en valeur par des étoffes. La table peut-être recouverte d'une nappe en lin, en damassé, en dentelle, associée à des serviettes en soie, en seersucker ou en batiste. Les sets de table sont bordés de ruban, de sisal ou de raphia. Tables et murs sont des toiles blanches où, tels d'audacieux coups de pinceau, viendront s'inscrire de larges bandes de tissu. À condition d'être assez longue – chemin de table chinois en soie, dentelle, rouleau de velours rubis, châle à motifs cachemire – toute étoffe déroulée dans la longueur habillera une table en chêne. Un banc présente lui aussi une surface dure ne demandant qu'à être adoucie par un tissu, peut-être un fragment de tapis oriental.

Le plafond offre un merveilleux terrain de jeux où l'on suspendra des étoffes pour en faire des sculptures, des mobiles. On a vu des cerfs-volants accrochés au plafond : leurs formes et leurs couleurs vives évoquent le vol et le grand air. Dans les auditoriums et les salles de concert, les architectes et les acousticiens accrochent parfois des textiles au plafond pour contrôler le son et créer un effet troublant rappelant des vaguelettes.

LUMIÈRE ET ÉTOFFES

De par leur matière, les étoffes offrent un moyen sensuel et suggestif de moduler l'éclairage. La lumière naturelle baignant une pièce est parfois trop dure, voire aveuglante. Les tissus transparents, les pongés de soie, le taffetas, le voile de coton, la mousseline, les dentelles ou les brise-bise filtrent la lumière tout en masquant la vue du mur de briques d'en face ou celle d'autres appartements. Les tissus transparents sont les écrans d'un théâtre d'ombres : ils entretiennent le mystère en laissant deviner ce qui se passe derrière sans permettre de rien voir clairement. Les étoffes atténuent la lumière tout en la rendant énigmatique. Plus le voile est transparent, plus la lumière pénètre dans la pièce, mais en le traversant elle pâlit et prend sa coloration.

Des rideaux rouges, jaunes, orangés, ou de toute autre couleur chaude du spectre, transforment la lumière blanche, créant de chaleureux halos dorés qui dansent sur les murs, les sols et le mobilier. À côté des voiles en fibres naturelles (cotons et soies), les synthétiques apportent aussi leur contribution avec des étoffes où s'entremêlent des fils de polyester et de cuivre, d'acier ou d'aluminium. La lumière, solaire ou artificielle, se reflète sur les filaments métalliques, faisant briller la pièce de mille feux. Si la vue est plaisante – clocher d'une église, tapis de verdure ou champs de blé – il suffira de placer un voilage à la fenêtre. Si elle est laide – puits d'aération, usine crachant sa fumée, boîte de nuit violemment éclairée d'enseignes au néon – un tissu opaque fera écran, laissant passer la lumière mais cachant ces horreurs.

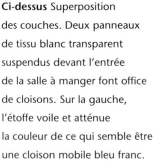

Ci-contre Ces voiles jaune primevère apportent à la pièce une lumière particulièrement riante. Les meneaux créent des ombres surprenantes sur le tissu et la présence des chaises rythme la scène. Dans cette pièce blanche les pans de tissu assurent l'intimité du lieu tout en autorisant un regard à l'extérieur, car des intervalles les séparent.

Ci-dessus Superposition des couches. Deux panneaux de tissu blanc transparent suspendus devant l'entrée de la salle à manger font office de cloisons. Sur la gauche, l'étoffe voile et atténue la couleur de ce qui semble être une cloison mobile bleu franc.

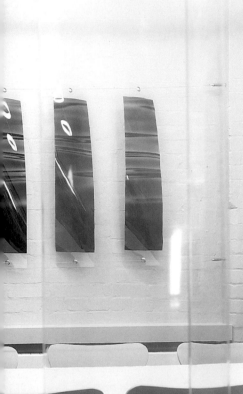

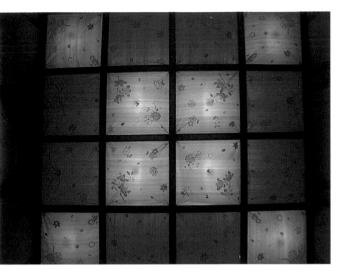

Ci-contre Le plafond était bas et laid, la lumière agressive, aussi Lucretia Moroni, styliste auteur de tissus, a-t-elle proposé d'imaginer un luminaire textile plutôt qu'en verre. Elle a dessiné seize panneaux de soie peinte à la main, huit clairs et huit plus sombres, qui laissent passer une lumière étrange. Les panneaux sont montés dans un cadre en bois teint en brun.

Ci-contre Des tissus de trois couleurs – bleu, blanc et rouge – cousus ensemble constituent ces rideaux qui encadrent la fenêtre en produisant un effet de drapeau dans une pièce austère, blanche et anguleuse. On voit là aussi une croix blanche sur un fond bleu et rouge.

JAPON ET EXTRÊME-ORIENT

L'introduction d'objets ou de motifs orientaux dans les intérieurs occidentaux – un futon posé sur le plancher d'un ancien loft reconverti ou une chaise Ming dans un appartement au cœur de Manhattan – remonte à plusieurs siècles. Au XVIe siècle déjà, les collectionneurs européens tombèrent amoureux de tout ce qui venait de Chine et des pays asiatiques : textiles, chaises aux incrustations de nacre, vases en porcelaine bleu et blanc, coupelles et bols laqués brillants, ou tapis et soie de Chine et d'Extrême-Orient, tout cela évoquait l'exotisme de terres lointaines et mystérieuses. Les arts décoratifs traduisirent cette fascination. On se mit à reproduire des motifs chinois ou pseudo-chinois sur les tissus, les céramiques, le mobilier et toutes sortes d'objets.

En 1854, le commodore américain Perry ouvrit les ports japonais aux relations diplomatiques et commerciales avec l'Occident. Quand le Japon présenta ses tissus, ses laques et ses objets en ivoire aux expositions internationales de Londres et de Paris (en 1860, 1870 et 1880), les Occidentaux furent éblouis et le japonisme exerça une grande influence sur les arts décoratifs européens et américains.

Cette passion fut nourrie par la découverte de l'architecture japonaise traditionnelle, avec ses portes-écrans coulissantes faites de papier opaque, ses tatamis, tapis en paille de riz recouverte de jonc tressé, son absence de chaises et son utilisation limitée, mais si judicieuse, des textiles.

Pages précédentes Les tissus, disposés selon une géométrie rectangulaire ou carrée, enclosent ce patio japonais. La palette est subtile, apaisante et neutre. Les rideaux accrochés à l'ouverture sont des *norens*, que l'on trouve traditionnellement à l'entrée des boutiques et des restaurants, mais également chez les particuliers.

Ci-contre Même si depuis la Seconde Guerre mondiale il n'y a plus officiellement au Japon de blasons, on en voit encore, sur les kimonos ou parfois transformés en logos. Ici, le rideau pourpre porte les armoiries du temple de Zenko-ji à Naga. Le rideau se gonfle d'air et le symbole héraldique constitue le point focal de tous les regards.

Page ci-contre Les Japonais produisent des textiles parmi les plus sophistiqués et novateurs sur le plan technologique, qui incorporent cuivre, acier et aluminium. Ces textiles métalliques qui scintillent, captent et reflètent la lumière, étonneront les puristes pour qui un tissu est nécessairement en matériaux naturels. Ces cloisons mobiles translucides, qui séparent salon et salle à manger, semblent partiellement en cuivre.

Ci-dessous Les Japonais perçoivent en la nature une asymétrie qu'ils aiment retrouver dans les motifs décoratifs. Ce rideau se trouve dans une pièce de Kyoto. Il représente un blason noir et blanc dont l'élément calligraphique est placé sur la droite. La pression du vent gonflant l'ensemble comme une voile en accentue la plaisante asymétrie.

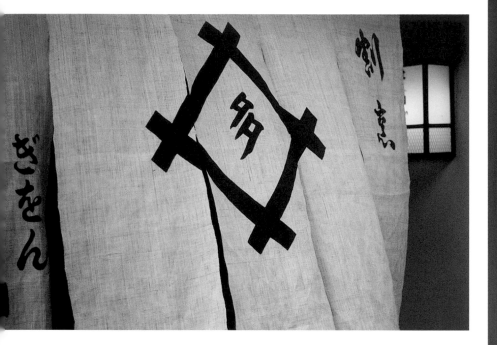

RIDEAUX, PARAVENTS ET LITS

Les *noren* sont de petits rideaux, généralement en lin et coton, suspendus en hauteur dans les restaurants et les magasins japonais. Leur présence signifie que l'endroit est ouvert.

On sait pourtant qu'il y en avait déjà dans les maisons du XIIe siècle. L'été, quand il faisait chaud, les gens accrochaient devant leurs portes ouvertes de larges *noren* qui les protégeaient des regards indiscrets, faisaient de l'ombre et permettaient à l'air de circuler. La calligraphie fournit l'élément décoratif des *noren*, mais ce sont aussi des étoffes douces et caressantes qu'il fait bon effleurer lorsqu'on pénètre dans un restaurant ou un magasin. Lorsqu'ils sont faits d'une fibre tissée à la main, ils présentent une texture un peu irrégulière qui rehausse leur qualité tactile. Ces rideaux consistent en plusieurs panneaux uniques dont les motifs se complètent.

Bien que d'un usage traditionnel, les *noren* sont également vendus au Japon dans les boutiques de souvenirs. Ils prendront tout naturellement leur place dans les intérieurs occidentaux où, par exemple, ils apporteront leur chaleur à un long couloir sombre et étroit. Dans une cuisine américaine, ils déroberont poêles et casseroles au regard des convives attablés.

Ci-contre Dans cet appartement londonien à la décoration minimaliste, les rideaux du couloir font sensation, qui apportent couleur, mouvement et graphisme à cet intérieur serein. Ces pictogrammes sont en fait le titre d'un film mais leur valeur, ici purement décorative, ne les empêche pas de rendre ce couloir plus intime et moins impersonnel.

Ci-dessous Dans un atelier de Kijoka au Japon, ces lés de tissu presque transparents séparent intérieur et extérieur, de sorte que les oiseaux semblent s'envoler au loin. Toshiko Taira les a tissés en fibres de bananier, une matière légère qui laisse passer l'air. Son atelier est classé Trésor National Vivant.

Pages précédentes Dans cette chambre de la Casa Kimura, un immense patchwork recouvre une armoire. Le motif est agencé avec soin, ce n'est pas une juxtaposition laissée au hasard.

Ci-contre (à gauche) Il émane de la calligraphie une force graphique, qu'on sache ou non la lire. Les pictogrammes qui se détachent en blanc sur fond pourpre semblent jaillir du tissu. L'ensemble témoigne d'une grande énergie.

Ci-contre (à droite) Le futon est posé directement sur le plancher, mais le dais est simplement évoqué par une longueur de tissu imprimé d'un motif de feuilles. Les sandales en bois au pied du lit seraient dehors si l'on était au Japon puisque ce sont des chaussures d'extérieur.

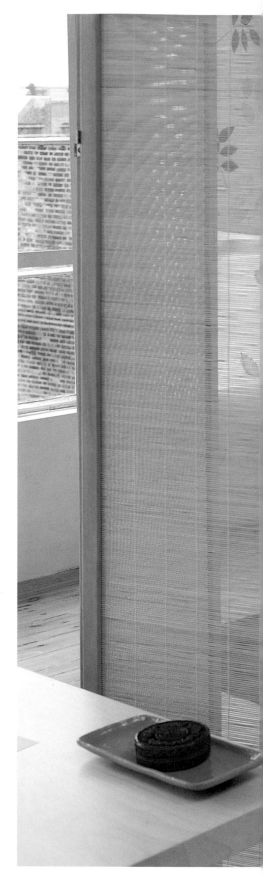

Quand vous entrez dans la cuisine, vous n'avez pas à faire l'effort d'ouvrir la porte, il vous suffit de vous glisser entre les pans de tissus qui séparent intérieur et extérieur (d'autres se substituent aux portes des placards). Vous pouvez les faire aussi longs que vous le souhaitez, dans des tissus assez souples, mais pas nécessairement en coton ou en lin. Transparents ou non, leurs motifs seront imprimés ou peints. Ils peuvent n'être formés que de trois ou quatre panneaux ou d'un nombre bien plus grand et seront en soie, en cachemire ou en toile, peu importe dès lors que leur caresse sur la peau est agréable.

Les paravents, aux armatures rigides, offrent toutefois davantage d'intimité. La maison japonaise traditionnelle, conçue pour les étés chauds (mais moins adaptée aux hivers froids) possédait des portes coulissantes destinées à faciliter la circulation de l'air, mais il était aussi possible d'y protéger son intimité. L'intérieur d'un foyer nippon était souvent assez sombre, la lumière y étant très diffuse.

Dans les maisons d'aujourd'hui, les paravents et autres écrans sont en soie, en dentelle ou en mousseline. Ils ne font plus comme autrefois partie intégrante de l'architecture mais sont devenus des éléments décoratifs,

Ci-dessus Tableau de matières.
La tenture vient se poser sur
le sol, créant un jeu de couleurs
et de matières où le tissu blanc
contraste avec le crème du mur
et la blondeur du tatami.
Les sandales semblent attendre
la venue de quelqu'un
qui les enfilerait.

parfois aussi transparents que des toiles de canevas. Ce sont des affirmations esthétiques, des bannières ondulant légèrement dans la brise.

Quand le soleil est si violent qu'il crée des reflets, servez-vous d'écrans opaques ou en tissu pour filtrer la lumière. Si vous recherchez une ambiance intime, tamisez la lumière, ajoutez quelques bougies, des petites lampes ou un assortiment des deux.

Pour créer une ambiance feutrée, cherchez des textiles du type lin, ramie, jute ou bambou, translucides, dont le tissage lâche laisse passer la lumière, ou optez au contraire pour les matières les plus récentes, telles qu'en ont inventé les Japonais ces dernières années, qui sont parfois synthétiques et ont des propriétés étonnantes.

S'il est facile d'intégrer *noren* et paravents aux intérieurs occidentaux, on peut aussi y apporter le futon, ce lit japonais. Dans un foyer nippon, on ne sort le lit qu'au moment de se coucher et, en l'absence de mobilier, le lit consiste en plusieurs couches de tissus soigneusement étalées sur le sol.

Les Japonais des temps anciens ne dormaient pas nus. Ils plaçaient des patchworks matelassés sur leur tatami entre lesquels ils se glissaient, vêtus d'amples chemises de nuit également matelassées ayant la forme d'un kimono et comportant souvent un lé supplémentaire procurant davantage d'aisance. Ils avaient parfois en plus une courtepointe en soie doublée de coton et de soie. Leurs lits étaient en fait un véritable amoncellement de tissus.

Les Occidentaux, préférant une manière de dormir moins austère, ont adapté le couchage japonais traditionnel, au ras du sol, en le surélevant légèrement. Le fait de placer un lit à faible hauteur (même s'il n'est plus directement posé par terre) agrandit une pièce basse de plafond. Dans une chambre dont les fenêtres descendent presque jusqu'au sol, dormir dans un lit bas permet de pleinement profiter de la vue tout en préservant son intimité.

Lors d'une récente exposition «moderniste» à Manhattan, un fabricant présenta un lit et une tête de lit art déco en ronce. Le sommier était à moins de cinquante centimètres du sol. Un designer art déco avait-il ainsi réinterprété le futon? Non, répondit le vendeur, quelqu'un avait simplement recoupé les pieds. Quoi qu'il en

Ci-contre Cette chambre d'esprit japonais d'une maison occidentale se caractérise par sa sérénité, sa sobriété et la lumière diffuse traversant la porte translucide faite à la manière des cloisons *shoji*. Le lit est toutefois surélevé et appuyé contre un bandeau de bois pour un plus grand confort. Les lignes discrètes du couvre-lit n'attirent pas trop l'attention. Comme dans un intérieur japonais, aucun objet ne semble vouloir s'accaparer la vedette.

soit, cette juxtaposition de l'art déco et de l'allusion japonisante produisait un effet très réussi. Le lustre du bois contribuait beaucoup à la beauté de l'ensemble. L'attrait langoureux de ce lit bas était manifeste, car l'acte de séduction ne consiste-t-il pas à attirer et amener celui qui regarde à venir tout près ?

COULEURS ET OBJETS

Pour les Japonais, les couleurs parlent d'une voix retentissante, aussi ne doivent-elles pas se faire entendre trop longtemps. C'est du moins le point de vue exprimé par Eleanor von Erdberg dans un ouvrage consacré à l'art populaire. À la cour des Heian, aux Xe et XIe siècles, les nobles japonais jugeaient de l'élégance et du goût d'une femme aux couleurs de ses kimonos, qui se portaient les uns sur les autres. La couche supérieure écarlate s'harmonisait-elle à la nuance prune en dessous ? L'harmonie des couleurs, à l'époque, venait de la manière dont elles se mêlaient par transparence.

Les épaisseurs de tissu représentaient la beauté d'une fleur ou d'une saison. Les nuances symbolisaient la nature. Des concepts empruntés à la nature servaient à définir les teintes : fleur de cerisier pour le rose pâle, première neige de la saison et même champs dénudés. La palette imitait celle de la nature. Ses couleurs pouvaient être vives mais jamais criardes.

Dans une maison occidentale, on peut assortir la literie aux saisons et ne pas se contenter d'avoir les draps d'hiver et d'été comme c'est trop souvent le cas. Au printemps, alliez un drap du dessous du pâle ivoire des crocus au vert tendre des jeunes feuilles pour celui du dessus. La couette sera du vert du trèfle, plus soutenu. Transformez votre lit en un parterre d'azalées aux couleurs du printemps, allant du rose le plus pâle au plus soutenu. Vienne l'automne, le drap du dessous sera pêche, celui du dessus beige et la couette en velours couleur chocolat. Quand les feuilles d'érable

Ci-dessus Étude de matières naturelles : formes délicates et translucides sur fond de briques peintes et store tissé filtrant la lumière. L'un des trois vases en bambou taillés de biais à différentes hauteurs laisse dépasser des amaryllis qui apportent une note de couleur vive.

Ci-contre Un tissu imprimé artisanalement au tampon fera une très belle nappe, surtout si vous posez dessus un ancien tampon en bois transformé en bougeoir. Quelques soucoupes faisant office de lampes à huile éclairent l'arrière-plan.

Page ci-contre L'architecte américain d'origine autrichienne Rudolph Schindler (1887-1953) travailla avec Frank Lloyd Wright en 1918. En 1921, il alla s'installer à Los Angeles où il créa plusieurs maisons, d'abord en béton puis à armatures en bois et stuc et enfin en panneaux de contreplaqué. Dans cette maison californienne aux poutres apparentes, il a créé un intérieur sobre avec des matériaux naturels dont le chemin de table en soie, qui devait faire partie d'un *obi* (ceinture), décoré uniquement aux extrémités.

Ci-contre Une superposition étudiée de tissus blancs et beiges domine cette salle à manger lumineuse ouvrant sur un port. Des rideaux au plissé majestueux encadrent la vue ; les stores beiges sont relevés par de somptueux glands. La table disparaît sous deux épaisseurs de lin blanc alors que les chaises sont habillées de trois épaisseurs de tissus : le repose-tête blanc dans le haut est une grande serviette, l'assise est formée d'un châle frangé beige qui se superpose à la housse blanche.

Ci-contre Cette charmante composition est un hommage à Mariano Fortuny, peintre, styliste et décorateur de théâtre espagnol. Il créa ses premiers tissus en 1906 et devint célèbre pour sa technique de plissage de la soie à l'aide de tubes en céramique chauds. On lui doit aussi des cotonnades imprimées, des velours de soie aux motifs évoquant la Renaissance italienne et des tissus d'inspiration orientale. Les lanternes suspendues terminées par des glands, sur la gauche, sont de lui. La housse de coussin au premier plan constitue un exemple de ses motifs de prédilection. On remarquera le rouleau de calligraphie déroulé au mur.

Page ci-contre Molly Hogg collectionne et vend des tissus anciens chinois, thaïlandais et japonais. Elle adore les mélanger, les associer à des masques et à des vanneries. Dans sa salle à manger londonienne l'éclectisme est roi : une tunique chinoise, venant peut-être des Yaos, peuple du sud du pays, surmonte ici le manteau de la cheminée.

prennent les chaudes teintes de l'été indien, imitez-les en choisissant des draps allant du rouge vif à l'orange et à des ocres plus discrets.

LES NOUVEAUX TEXTILES

Le styliste Junichi Arai est l'auteur de tissus aussi étonnants qu'extraordinaires. Il a imaginé une étoffe blanche, semblable aux fils de la Vierge, essentiellement faite d'air. Cette toile d'araignée façonnée de main d'homme s'apparente-t-elle à l'art textile ou faut-il y voir une nouvelle forme de dentelle ? Il a aussi conçu une matière composée en partie d'aluminium, blanche avec des traces de bleu de glace, qui évoque les ailes d'un papillon. Souple, aérien et translucide, ce tissu sur lequel l'eau glisse pourrait selon lui faire un bel imperméable : il ne pèserait que 115 grammes et la personne qui le porterait se sentirait légère comme un papillon. Le designer Reiko Sudo a cousu du ruban de nylon sur une étoffe soluble, tissant ainsi une sorte de plaid lâche, puis dissous l'étoffe support pour ne conserver que les rubans de nylon ondulés et recourbés sur un fond d'air.

Il existe des cotonnades souples qui baillent, des étoffes teintes qui nous offrent toutes les nuances de l'indigo, du bleu sombre au noir bleuté. Ces matières avant-gardistes font des tentures murales très originales, des panneaux à tendre devant une fenêtre ou des chemins de table. Sous un plafond, on exploitera leur côté bouffant pour lui donner du volume ; encadrés, on en fera des paravents. Parfois composés de matériaux synthétiques, ces nouveaux textiles n'en ont pas moins beaucoup d'allure.

Que vous préfériez des étoffes naturelles comme les soieries ou d'autres tissées de cuivre ou d'aluminium, vous saurez créer une atmosphère reposante et accueillante. Préférez les nuances claires ou sombres aux teintes éclatantes. Il en résultera une pièce sage mais plus chaleureuse que si vous optiez pour un minimalisme absolu.

TISSUS DE PETITES DIMENSIONS

Quand vous installez des objets orientaux dans un intérieur occidental, ce n'est pas pour recréer l'Orient chez vous. Indépendamment du contenu de votre collection, les grands principes de décoration restent les mêmes, pensez simplement à l'échelle. Un futon ou un kimono ont assez de présence pour exister par eux-mêmes. Les petits objets, napperons, broches anciennes en soie, chapeaux, sacs à main, seront davantage mis en valeur en groupe ou encadrés. Des tissus anciens dont il ne reste plus que des fragments seront soigneusement présentés sous verre ou dans des vitrines. Les collectionneurs japonais aiment montrer des morceaux de kimono montés sur une structure pliante de sorte qu'ils semblent simplement repliés sur un portant.

Ci-contre Des chaises chinoises classiques entourent cette table dressée pour le dîner.
Le magnifique tissu rouge qui va d'un côté à l'autre de la table, avec son aspect satiné et son motif, éclaire et colore cette scène qui sans lui aurait été fort sombre.

Page ci-contre De sinueux serpents se succèdent sur cette somptueuse tenture murale brodée, véritable œuvre d'art qui mérite bien la place de choix qu'elle occupe au-dessus de la cheminée. La juxtaposition de ces créatures et des flammes qui animent l'âtre confère une véritable chaleur à ce coin salon. Imaginez-le un soir, tard, avec ses bougies allumées.

Ci-contre Rencontre de l'antique et du modernisme : Calvin Tsaim, un des membres du groupement d'architectes Tsao & McKown de Manhattan, collectionne les textiles anciens et se refuse à les recouper : « Un tissu de collection est un tout », dit-il. Dans son appartement new-yorkais, il a garni le pied d'un lit d'une jupe de mariage javanaise en coton richement brodée de fil d'or. Elle fait partie d'une collection de tissus tubulaires dont on voit deux autres exemples, transformés en housses de traversin, à la tête du lit.

D'ART

VÊTEMENTS

Le vêtement symbolise le statut social de celui qui le porte – c'est un signe extérieur de richesse. Au XVIIᵉ siècle, le shogun Tokugawa Ieyasu laissa à sa mort trois mille tenues. Les Japonais accordaient une telle importance au vêtement féminin qu'ils organisaient déjà des concours de mode. L'une d'elles raconte qu'un jour l'artiste Ogata Korin (1658-1716) fut employé par un riche marchand pour conseiller son épouse. Il l'habilla d'un simple kimono noir, qui fit ressortir la vaine préciosité de toutes les autres. La distinction entre beaux-arts et arts décoratifs ou appliqués n'étant pas un concept japonais, les artistes les plus réputés, tel Ogata Korin justement, peignaient autant sur le papier que sur la soie, voire directement sur des vêtements. Le costume traditionnel était donc à la fois un symbole de statut social et une œuvre d'art.

Les Japonais se sont complètement appropriés le vêtement chinois, l'ont transformé et réinventé, créant ainsi cette tunique en T que l'on appelle kimono, même si ce terme désigne toute une catégorie de vêtements pour lesquels le japonais a des mots plus précis. Le *kosode* par exemple est une variante à manches plus petites. Le kimono est un vêtement qui cache le corps tout en accompagnant ses mouvements avec une grâce exquise. Les Japonais taillèrent des robes dans la soie, le coton, la ramie et le crêpe, qu'ils brodèrent ou

Ci-dessus Même s'il est plus habituel de ranger les kimonos soigneusement pliés dans les armoires, il arrive qu'on les présente comme ici sur un portant. La vue du vêtement ainsi suspendu sur un cadre laqué peut amener à se demander qui est la personne qui vient de l'ôter. Celui-ci mérite d'être admiré et apprécié en véritable œuvre d'art.

Ci-contre (à gauche) La légère tunique attire le regard vers la composition sobre et soignée que constitue la table avec la photographie encadrée, la statue et l'orchidée. Ce tableau redonne une existence propre à ce coin en bas de l'escalier trop souvent négligé.

Ci-contre (à droite) Le grand canapé noir qui domine ce salon en ferait un lieu austère et stérile sans l'ikebana à son côté, et surtout sans le kimono rouge derrière. Il s'agit d'un *furisode*, un vêtement de jeune fille. Ce lumineux motif floral et la douceur du tissu réchauffent la pièce.

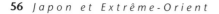

ornèrent d'applications d'or et d'argent. Ils imaginèrent des motifs qui s'inscrivaient sur la diagonale dans le dos des vêtements ou consistaient en patchworks splendidement alignés. Ils cueillaient leur inspiration dans la nature, dans le monde animal (oiseaux, tortues), végétal ou plus généralement naturel (montagnes, lacs et ruisseaux). Les blasons familiaux (chrysanthèmes, glycines ou papillons) ornaient parfois le haut du dos, l'encolure et les manches.

S'il est toujours possible de constituer des piles de vêtements soigneusement pliés, il vaut mieux se servir des valets, qui furent importés de Chine, sous une forme un peu différente de celle que nous leur connaissons aujourd'hui, sous la dynastie Nara (710-794). Dans les châteaux froids et pleins de courants d'air, les kimonos suspendus à une tringle faisaient écran au froid. Aujourd'hui encore, dans les grands magasins japonais, on voit des kimonos présentés de cette façon. Il arrive qu'une famille décide de mettre ainsi en valeur un kimono, souvent l'équivalent de notre robe de mariée, qui aura coûté fort cher.

Dans une pièce, le kimono est un ornement au graphisme incontournable. Avec lui, le textile se fait sculpture et peut être offert au regard comme sous les Nara, dans son rôle de paravent. Les kimonos étant normalement plats, ils dessinent une forme aux contours nets.

Ci-dessus Le kimono est l'objet phare de ce coin de pièce. Les chaises, le set et les porcelaines autour de la table reprennent et prolongent en trois dimensions son décor noir et blanc. Son motif végétal exubérant qui ne commence que dans le tiers inférieur de la tunique semble vouloir coloniser le sol, comme pour aller rejoindre les vraies fleurs installées avec bonheur dans le vase en verre.

TISSUS DU MONDE ENTIER

Pages précédentes Dans cette hacienda du Nouveau-Mexique, c'est le tapis marocain qui tient la vedette au sein d'une salle dont l'harmonie monochrome dégage une austère beauté. Toute la pièce, murs, porte en bois sculpté et mobilier, sont dans diverses nuances de brun. Le tapis, brique, est légèrement plus lumineux que l'ensemble de la pièce à laquelle il apporte sa brillance. Posé en diagonale, il est aligné sur la cheminée plutôt que sur les murs.

Ci-contre (à gauche) Profusion d'éléments décoratifs. Un tapis d'Orient est présenté au mur derrière le canapé incrusté de nacre, richement ouvragé. L'empilement de petits coussins sur l'assise faite sur mesure invite à venir s'y asseoir. Les tables octogonales sculptées, également incrustées de nacre, sont posées sur un kilim persan. Le rideau, retenu par une embrasse, laisse entrer la lumière pour éclairer cette partie de la pièce. Les étagères sont accaparées par une multitude de coussins. La blancheur des murs, du plafond et du sol, associée au jeu de la lumière sur les lampes et les chandeliers, évite toute sensation de claustrophobie.

Ci-contre (à droite) Dans cette maison du Northamptonshire, un *toran* (frise indienne brodée et incrustée de miroirs) décore le dessus de l'âtre. Dans l'État du Gujarât en Inde, on les place au-dessus des portes d'entrée, les pendants en forme de fanion symbolisant les feuilles du manguier qui, croit-on, portent bonheur.

Partout dans le monde et de tout temps, les peuples ont tissé de somptueux tissus destinés à servir de lits, de tapis, de tentures ou de couvertures pour les animaux. Nous devons à l'Inde des saris de soie lavande incrustés de miroirs destinés à être portés par les femmes. L'Asie centrale nous offre ses *suzanis*, tissus brodés à la main, déclinant le plus souvent des nuances de rouge, qui servaient de tentures murales en Ouzbékistan. Les étoffes kuba, africaines, sont tissées avec du raphia par les hommes, puis brodées par les femmes. Une seule pièce peut atteindre jusqu'à neuf mètres de long. Normalement, on les porte en pagne, mais la qualité de leur graphisme noir et crème ne ressort jamais davantage que déroulées sur un mur. Les textiles du monde entier, des kilims mariant les rouges écarlates aux bleus de cobalt et aux blanc cassé, retaillés en housses de coussin aux *dhurries* turquoise bordés d'émeraude, déclinent une riche palette de matières et de couleurs. Si l'on veut se guérir du minimalisme et du blanc sur blanc, voilà l'antidote!

COULEUR ET MOTIF

Les étoffes du bout du monde – d'Inde, d'Iran, d'Afghanistan, d'Asie centrale, de Russie et d'Afrique ou d'Amérique du Sud – enrichissent le cadre de vie occidental en lui apportant de l'exotisme ainsi qu'une profusion de couleurs et de motifs. Elles vous ouvrent les portes d'un ailleurs imaginaire, vous transportent comme par magie à des milliers de kilomètres de l'endroit où vous vivez vraiment.

Les textiles se substituent parfois au mobilier, qui ne conserve alors qu'un rôle subsidiaire. L'architecte américain et directeur général du Fonds de préservation de la vallée de Katmandou, Erich Theophile, installé au Népal à Patan, vit comme les Népalais. Hormis sa table à dessin, celle où il prend ses repas et quelques chaises, il n'a guère de meubles. Les façades des maisons népalaises traditionnelles sont ornementées et sculptées mais les intérieurs sont souvent assez dépouillés. Theophile reçoit ses invités assis sur le sol et c'est également par terre que dorment les visiteurs, sur des futons. Sa maison de cinq étages doit sa beauté, sa chaleur et son confort à la manière brillante dont il utilise des tissus indiens, tibétains et bhoutanais. « Les étoffes vous donnent leurs couleurs et leurs motifs sans vous imposer la présence physique d'objets », dit-il. Son intérieur doit son unité au fait qu'ils proviennent tous d'une même région. Les motifs des différentes pièces portent donc la marque d'une même culture. Il aime regrouper les couleurs les plus éclatantes comme les rouges et les ors.

Les coussins faits pour s'asseoir ont des housses en soie rayée jaune. Un futon recouvert d'une résistante cotonnade népalaise tient lieu de divan. Les épais tapis de

Ci-dessous Les coussins sont des objets de collection. Dans ce coffre en bois, ils semblent un véritable trésor. Le premier frappe par sa géométrie qui lui donne du relief, le second par son asymétrie (une bande rouge prend le relais de l'imprimé dans le bas) et le troisième par la bande qui le partage en deux en son milieu.

Page ci-contre On néglige souvent les couloirs, ces espaces perdus à l'éclairage pauvre. Mais on peut en faire de véritables galeries d'art : il suffit d'y accrocher une série de photographies, de gravures botaniques ou de posters pour faire du passage un festival visuel. Celui-ci est une galerie consacrée aux textiles : le tapis tibétain couvre toute la longueur. La plinthe se double d'un long traversin sur lequel est posé un long coussin habillé de tissu ouzbek. Les tissus muraux déclinent leurs motifs de pivoines du sol au plafond, et l'on aperçoit au fond une portière qui préserve le passage des courants d'air.

Le rideau
est un *suzani*, un tissu brodé
d'Ouzbékistan. Il module
la lumière qui tombe sur
l'estrade placée devant
la fenêtre. En Asie centrale,
les plus grands *suzanis* servaient
de tentures murales
ou de dessus-de-lit et les plus
petits recouvraient une table
basse posée au-dessus
d'un brasero. Les gens
s'asseyaient autour et glissaient
jambes et bras sous le tissu pour
se réchauffer. Au premier plan,
le store de toile unie terminé par
un large ourlet bordé d'un jour
filtre la lumière ; quant au coffre
en bois en dessous, il disparaît
sous les étoffes.

sisal qui couvrent les sols sont aussi népalais. Le futon de la chambre d'amis est recouvert d'un patchwork en coton rouge de l'État de Gujarât, les coussins indiens sont somptueusement brodés d'énormes points. Son propre futon disparaît sous un drap cerise bordé d'un motif géométrique rouille, rose, bleu sarcelle et vert de lime. La couette marine, unique souvenir de l'Amérique, est roulée et placée au pied du futon. Son origine ne nuit pas à l'harmonie locale. C'est un uni anonyme, pas un patchwork amish coloré qui clamerait ses origines. L'intervention de pavés unis – le canapé blanc et la couette bleue – fournit des points de repos pour le regard au milieu de toutes ces couleurs et ces motifs. Non seulement les textiles remplacent les meubles mais ce sont aussi des objets d'art. Theophile a conçu un présentoir fait de tiges de bois pour montrer ses cotons afghans brodés de soie, ses soies sauvages du Bhoutan, ses soies balinaises du XIXe siècle, sa couverture tibétaine, le tout essentiellement dans des tons de rouge et d'or. Les textiles sont fonctionnels, décoratifs et mobiles.

Ce qu'a réalisé Erich Theophile au Népal peut être fait n'importe où ailleurs. Il suffit d'imposer une unité à toute cette diversité. Si vous aimez la richesse des tissus indiens, scintillant des mille feux de leurs miroirs et de leurs fils d'or ressortant sur des fonds brillants rouges, verts et or, accumulez-les allègrement, en les mélangeant éventuellement à des tissus provenant de cultures proches dont les motifs et les nuances seront apparentés. Ne les associez pas à des couvertures amérindiennes ni à des étoffes africaines kenté. Ils n'iraient pas ensemble. Les tissus chinois, japonais et coréens s'harmonisent comme ceux qui proviennent d'Amérique latine ou d'Asie centrale. Choisissez un petit bout du monde et parcourez-le d'un bout à l'autre pour en mêler les richesses.

Page ci-contre Nous sommes
dans la même maison
que précédemment. Le lit
et le divan sont très près du sol
afin de profiter pleinement
de la vue sur le paysage. Comme
au Moyen-Orient, le tissu drapé
sur le divan recouvre aussi
une partie du sol. Le plafond
étant à une hauteur inhabituelle,
les panneaux de tissu suspendus
aux murs à mi-hauteur réduisent
l'échelle de la pièce, lui
conférant ainsi une plus grande
intimité. Les rideaux blancs
modulent la lumière comme
les *suzanis* dans l'autre pièce.

Ci-contre (à gauche) Les textiles délimitent les espaces réservés aux diverses fonctions dans ce loft très lumineux grâce au jour qui entre à flots par la fenêtre ronde et les ouvertures à claire-voie du toit. Des rideaux blancs se ferment autour du lit, assurant ainsi l'intimité du lieu. Des pans entiers de tissu kuba rythment ce volume dont ils font ressortir la hauteur.

Ci-contre Étude en noir, sépia et blanc. La coloration sombre des meubles en bois contraste avec les teintes atténuées du tapis dont le motif rappelle leurs lignes simples.
Sur un plancher, les formes ne seraient pas ressorties.

TISSUS AFRICAINS

Certains tissus africains comme les étoffes kuba du Congo, avec leurs grosses broderies noires sur un fond de raphia crème, ou les cotons kenté et les soieries du Ghana connues pour leurs fines rayures rouges, vertes et noires sur fond jaune, ont une telle présence qu'ils exigent de tenir la vedette. La décoration de la pièce s'organisera autour d'eux : ils ne sont pas discrets et ne se feront pas oublier. D'autres tissus, comme les étoffes brunes du Mali ou les cotons à rayures du Sénégal, aux motifs moins prenants, ne s'approprient pas autant les lieux.

Quand les textiles ont une texture riche mais des motifs plus discrets, on peut les accumuler, exactement comme n'importe quelle autre étoffe neutre. Recouvrez-en vos fauteuils, vos lits, ou faites-en des housses de coussin. Moins le motif accroche l'œil, moins le tissu attire l'attention. Les plus grands lés de tissu kuba et kenté sont exubérants : les premiers, avec leurs neuf mètres de long, exigent jusqu'à un an de travail au tisserand, qui utilise généralement deux couleurs, le noir et un fond crème. Par leurs dimensions, ces étoffes qu'hommes et femmes s'enroulaient autrefois autour de la taille, font une profonde impression. Ce sont les représentants d'un Op'Art africain ancien : leur graphisme témoigne d'un grand sens du mouvement.

Compte tenu de leur forte personnalité, on utilisera ces étoffes avec audace… et discernement. N'essayez pas de les rapprocher de textiles des

Pages précédentes Un tissu
kuba borde la fenêtre.
Au Congo, on bat cette étoffe
avec un maillet pour l'assouplir.
Un jeté imprimé couvre
la couette moelleuse, offrant
un contraste de textures
et de cultures.

Page ci-contre Dans cette
maison provençale, la tenture
murale au motif abstrait est
l'unique décoration de cette
pièce simple et accueillante.
Les coussins jaunes semblent
attirer à eux la lumière
qui pénètre par la fenêtre.

Ci-contre Dans ce bungalow
de safari en Afrique du Sud,
les couleurs vives du dessus-de-lit
kenté et des rideaux se
détachent sur cette sombre
architecture rustique. Utilisé
comme descente de lit, un petit
morceau de tissu kuba vous
réchauffe les pieds le matin.

tribus indiennes d'Amérique. Dans une pièce, on se limitera à associer les tissus kuba et kenté à
des étoffes aux teintes de terre. Leur proximité géographique passe bien dans un salon occidental. Leur tissage demande un énorme travail. Quand les hommes ont terminé le tissage d'un lé
de tissu kuba, étoffe de raphia (feuille de palmier), ils le battent avec un maillet pour l'assouplir
davantage. Les femmes interviennent alors pour le décorer. Elles brodent d'abord la fibre qui,
une fois terminée, sera lisse et douce comme une toile de jute mais sans en avoir la souplesse. Au
sens propre, une broderie est une couture décorative exécutée sur un tissu après qu'il a quitté le
métier. Certaines sont bien loin des fleurs que les petites filles brodent sur des napperons et des
serviettes de table sous la surveillance de leurs grands-mères. Les femmes transforment parfois le
tissu en une sorte de tapis appelé velours kesai, en glissant de très fines fibres de raphia, une par
une, dans les interstices entre les fils du tissage. Après avoir fini, elles recoupent toutes ces fibres
pour que le tapis ait partout la même épaisseur. Les motifs ne sont ni équilibrés ni symétriques, il
suffit qu'ils soient exubérants et que l'œil ait envie de les suivre.

Les tissus kenté ghanéens, faits de fines bandelettes de tissu cousues ensemble, produisent un
effet électrique. Les motifs géométriques, rectangles, carrés ou croix, semblent vibrer sous nos
yeux. Ils habillent hommes, femmes et enfants et servent également d'auvents aux tentes ou de
doublures aux les palanquins. On les offre souvent en cadeaux. Comme pour les tissus kuba, on
a maintenant le choix entre des tissus faits main et d'autres imprimés mécaniquement. De toute

Page ci-contre L'excentricité est ici chez elle, aucune des conventions de la décoration n'est respectée. L'Afrique y croise la Grèce antique qui s'y mêle à la modernité. Les tapisseries murales encadrant la porte sont apparentées et disposées symétriquement de part et d'autre des colonnes corinthiennes, tandis qu'au premier plan de larges bandes horizontales de couleurs légèrement différentes soulignent la perspective. Pourtant, l'œil ne s'y perd pas car l'harmonie des nuances lui permet de se reposer.

Ci-contre L'excentricité règne également dans cette pièce. Des motifs géométriques variés couvrent un mur ou une partie du plancher mais il reste des espaces neutres unis – le mur, le plafond et la porte – pour équilibrer l'espace. La courte nappe en dentelle permet d'admirer les fringants chevaux qui servent de pieds de table. Même les meubles suggèrent le mouvement.

évidence, les premiers ont une texture plus riche et davantage de caractère mais, vus à distance, les seconds présentent les mêmes qualités visuelles.

Les tissus kuba et kenté font des tentures, des couvre-lits et des rideaux splendides. On peut en recouvrir fauteuils, canapés et commodes. Ils s'affirment sur des fonds unis indépendamment de leurs teintes, blanc, moutarde, beige, rouille ou ocre, une palette qui décline les nuances de la terre. Ils sont aussi à leur avantage dans un environnement rustique de poutres apparentes et de murs lambrissés ou tapissés de bambou. Il est bon de laisser un espace uni à côté de telles étoffes, au-dessus, en dessous ou sur les côtés – peu importe, pourvu qu'elles puissent respirer et ne provoquent pas d'effet de saturation.

Les tissus africains, même s'ils ne sont pas tissés à la main, feront quand même sensation. En Europe comme aux États-Unis, les magasins spécialisés vous offrent le choix entre tissus kuba et kenté traditionnels et imprimés. Ils vous proposent aussi des toiles du Mali dans les tons bruns ou des imprimés colorés du Sénégal. La compagnie Stark Carpet de New York crée des moquettes inspirées des tissus kuba. Les tissus africains se marient bien au mobilier européen. Aline Matsika, décoratrice d'intérieur d'origine congolaise, possède deux boutiques pour la maison à Paris et une autre à Manhattan. Elle présente des meubles tradi-

tionnels tapissés de tissus africains : une sinueuse chaise longue recouverte d'un coton cerise à rayures en provenance du Sénégal y voisine avec une ottomane et un canapé de style Louis XVI mis en valeur par un tissu kuba si doux au toucher qu'on croirait du lin.

Elle propose également des textiles africains en tant que nappes, sets et chemins de table. Les murs de son magasin sont d'une belle couleur crème assez pâle qui fait ressortir les motifs de tous ces tissus ; des pans de voilage dans des nuances crème et chocolat sont placés devant les grandes fenêtres. On est dans une étonnante ambiance exotique, à la fois confortable et raffinée.

UTILISER DES TEXTILES ETHNIQUES

N'hésitez pas à suivre l'exemple d'Aline Matsika, qui habille des meubles européens de tissus africains, en allant chercher vos étoffes partout dans le monde. Vous pouvez aussi prendre votre chambre, peut-être la pièce la plus intime, et la transformer en mémorial de votre visite du Taj Mahal - ou en faire la tente sous laquelle vous avez dormi lors de votre safari au Kenya. Si vous ne voulez pas complètement vous transporter dans une autre culture mais juste lui rendre un discret hommage, contentez-vous d'installer une pièce maîtresse, une grande tapisserie par exemple ou au contraire, une collection de

Page ci-contre Les housses de ces grands coussins en coton indien et la petite courtepointe ne sont pas taillées dans des étoffes luxueuses. Qu'importe, le mélange de motifs et l'association de toutes ces couleurs vives incitent vraiment à venir s'asseoir ou s'étendre dans ce petit coin fort sympathique.

Ci-contre Le rose délicat des murs capte la lumière et semble la restituer dans cette chambre romantique. Le candélabre, certes électrique, mais ô combien plus élégant qu'une lampe ordinaire, est à la tête du lit. Le sommier est dissimulé sous un tissu. Sur le sol, le fauteuil et le gros coussin apportent un confort supplémentaire : placés au pied du lit, ils évoquent la possibilité de longues conversations intimes.

Page ci-contre Ce palier, avec sa verrière, offre un lieu propice à la réflexion. La tenture murale est un tissu d'écorce. Les deux coussins font de la chaise métallique un siège confortable. Avec toute la lumière, ce petit espace constitue une serre miniature idéale pour prendre un peu de soleil et se retirer un moment parmi les plantes.

Ci-contre Ce petit palier permet d'admirer quelques objets étranges : une tenture rouge attire d'abord l'œil, qui se pose ensuite sur une porte qui ne mène nulle part. Mais ce sont les récipients spiralés posés devant la porte qui invitent à s'arrêter.

Ci-dessous « Quand on va chez quelqu'un au Congo, l'usage veut que l'on apporte en signe d'hospitalité un carré d'étoffe kuba qui servira de natte où l'on s'assoira », explique Mark Shilen, négociant et expert en tapis à New York. On voit ici ces nattes décorant le mur du fond.

petits coupons que vous regrouperez pour susciter la curiosité ou simplement décorer un mur, n'importe lequel.

Plus le tissu sera exotique, plus votre composition aura d'allure. Trouvez un espace encore libre, le mur d'un escalier ou l'arrière d'une étagère à livres, dans une salle de bains ou un couloir, et accrochez-y votre tissu. Si vous le placez à une hauteur telle qu'il soit à portée de main, qu'il s'agisse d'un lé de toile kuba ou d'un châle à franges du Cachemire, les visiteurs auront envie de le toucher, de le caresser du bout des doigts. Vous leur ferez ainsi partager votre passion.

On peut même confier un rôle architectural aux tissus. Les plus grands recouvriront un mur entier, sur toute sa hauteur. Une collection de tentures africaines, indiennes ou d'Asie centrale accrochées les unes à côté des autres masquera une fenêtre qui s'ouvre sur une vue très laide. Utilisés comme portières, les textiles remplacent les portes. Des panneaux de voile de coton imprimés artisanalement fermeront une armoire, une pièce ou un cellier. Pourquoi ouvrir une porte quand on peut simplement se glisser entre deux pans de tissu bien doux ?

Vous pouvez aussi partir d'une étoffe pour décider des couleurs d'une pièce. Si vous tombez sous le charme d'un tapis persan aux dimensions de votre espace et que ses nuances de

bleu nuit et de vert vous séduisent, peignez murs et plafond dans un bleu vert atténué. Cherchez dans vos tissus favoris, couverture navajo, dessus-de-lit marocain à rayures beiges, marrons et noires ou sari rouge et magenta, les couleurs dont vous allez vous entourer.

Une pièce «ethnique» n'a pas de frontières et ne se plie à aucune règle précise, sinon d'éviter un fatras criard. Robert Homma, associé de Dimson Homma, boutique pour la maison de Manhattan où l'on peut trouver des antiquités chinoises, des verres de Venise et des écharpes en soie teintes avec des matières naturelles, vit dans un environnement en rapport : il a meublé son duplex avec les meubles et les tissus qu'il vend, en choisissant le bleu pour unifier les textiles animant cet espace de 90 m².

Il y a du bleu dans les tapis tibétains et dans le patchwork français sur le lit. «Certaines personnes reprochent au bleu d'être une couleur froide dit-il, mais moi je le trouve apaisant.» Inspirez-vous de cette manière d'utiliser le bleu en optant par exemple pour des nuances de vert, de roux, de doré que l'on retrouvera dans les tapis, les draps, les housses de coussin, les taies d'oreiller et les housses de couette ou les patchworks. Pourquoi pas des tapis de Chine et des patchworks américains, ou encore un tapis marocain et une couette scandinave, la nuance assurant l'unité de l'ensemble ?

La styliste Han Feng mélange les textiles, associant les soieries thaïlandaises à des mousselines unies, lin et organdi dans son loft de Manhattan. Elle a seize fenêtres et filtre la lumière du soleil avec des rideaux de mousseline blanche, dont certains sont drapés comme les rideaux d'un théâtre tandis que d'autres tombent en panneaux. Le lit, avec son dais, semble flotter au-dessus du sol. Si ce lit blanc paraît presque éthéré, les couleurs se rattrapent sur la table de la salle à manger. Set de table et serviettes en soie irisée de Thaïlande font se côtoyer le magenta, l'or, l'émeraude, le bleu de cobalt et le turquoise

Ci-contre (à gauche) Molly Hogg collectionne les textiles indonésiens, thaïlandais, indiens et chinois. Une visite chez elle, à Londres, est un véritable voyage. Elle coud les tissus à une doublure tendue sur un cadre ou présente des vestes négligemment posées sur des perches en bambou qu'elle accrochera ensuite à une cimaise avec du fil à pêche transparent. Elle a ici dissimulé un mur derrière une large tenture de tissu kenté.

Ci-contre Le rouge, dans toutes ses modulations, tomate, madère ou sang de bœuf, domine sans partage ce coin salon. Une cotonnade indienne recouvre le divan et un kilim turc moderne cache le sol. Le passage du rouge au rouge orangé et au madère donne chaleur et gaîté sans jamais jurer. L'unité de ces différents textiles tient non seulement à la dominante rouge mais aussi à la proximité de leurs origines qui se reflète dans les motifs. Originaires pour la plupart d'Asie du Sud-Est, d'Asie centrale ou du Proche-Orient, ils se mettent mutuellement en valeur.

À L'ABRI

SE SENTIR BIEN

Une manière contemporaine d'utiliser les textiles exotiques est l'évocation de pays du bout du monde, souks marocains, temples bhoutanais ou cabanes de pêcheurs brésiliens. Et pourquoi ne pas vous inspirer de ce que fit Andy Warhol, dans sa maison de Manhattan ?

Jed Johnson, décorateur d'intérieur, travailla avec l'artiste à la création d'un univers différent dans chaque pièce. Un salon, dédié au style art déco, était habité de meubles laqués de Jean Dunand et d'objets ouvragés en peau de chagrin. Certaines chaises étaient tapissées de soie. Il y avait une chambre en style victorien américain éclairée de touches de velours rouge, une autre évoquait les premiers jours des colons en Amérique. Un filet de pêche tenait lieu de baldaquin, évoquant une rustique et aérienne canopée. Dans cette demeure, se déplacer de quelques pas suffit pour pénétrer dans une nouvelle culture, en passant des lignes formelles du style victorien de la fin du XIXe siècle à celles si caractéristiques du style art déco et à l'évocation de l'artisanat des pionniers. Et dans cette maison propre à faire naître un sentiment d'évasion, Warhol, pourtant toujours si prompt à faire sa propre promotion, n'avait installé aucune de ses œuvres. Les seules photographies du lieu étaient celles de chefs indiens prises par Edward Curtis.

Ci-contre (à gauche) On peut recréer une pièce marocaine n'importe où, comme dans ce lieu éclectique. Le divan y est recouvert d'imprimés et plusieurs rangées de coussins invitent à venir s'y étendre. La proximité des fauteuils contribue à créer une atmosphère intime.

Ci-contre (à droite) Dans cette chambre d'un luxueux hôtel de Jaipur, le dais qui surmonte le lit est un tissu imprimé à la main. Les brillants coussins orangé aux petits miroirs appliqués reflètent la lumière du soleil. Les rideaux blancs apportent une touche de fraîcheur à la chaleur tropicale tout en éclairant les boiseries.

Ci-contre Il est facile d'installer un petit autel, endroit où conserver l'image d'un saint, d'un gourou ou d'un ancêtre. Profitez d'une niche dans un mur ou posez-le sur un meuble ou une cheminée. Le fait de placer un rideau devant l'icône souligne l'importance de ce lieu consacré. L'embrasse dorée est ici purement décorative.

Ci-dessus La lumière tombe à flot du vasistas sur cette moustiquaire, donnant une qualité diaphane au dais, qui n'est pas sans rappeler le voile d'une mariée. Dormir sous une moustiquaire est à la fois romantique et pratique, on s'y sent en sécurité et à l'abri des insectes.

TISSUS CAMPAGNARDS

Pour les Français le patchwork est probablement l'objet en tissu le plus typiquement américain, mais, aux États-Unis, il évoque surtout la vie rurale et les images de *La Petite Maison dans la prairie*. On imagine ces femmes économes qui découpaient d'abord des torchons dans leurs vieilles robes, avant de récupérer les plus petits morceaux et de les assembler pour créer ces magnifiques couvertures matelassées et colorées qui leur tiendraient chaud par les froides nuits d'hiver. On les voit, assises autour d'une table, coudre patiemment point par point ces couvre-lits aujourd'hui élevés au rang d'objets d'art populaire. En ce temps-là, les tissus venus d'Europe étaient très précieux. La transformation complète des fibres de lin en étoffe prenait jusqu'à seize mois. Les moindres lambeaux de tissus étaient donc conservés en vue d'une future réutilisation.

Les plus anciens patchworks américains que l'on peut encore trouver datent du XIXe siècle et du début du XXe, la technique était déjà connue dans l'Antiquité. C'est en Égypte qu'en a été retrouvé le plus vieil exemple, une robe datée de 3400 avant notre ère. On a retrouvé le fragment d'un patchwork mongol, utilisé en tapis, contemporain du Christ. En Inde, on commença à faire des patchworks dès le début du VIe siècle. Les chevaliers qui partaient en croisade portaient sous leurs armures des patchworks qui devaient les protéger, sinon des blessures, du moins du froid.

Selon les cultures, les tissus matelassés ont de multiples fonctions : nattes sur lesquelles on se couche ou couvertures sous lesquelles on se glisse. Les Japonais les portent en robes d'intérieur ou en peignoirs, et les Américaines en faisaient des jupes. Pour nous, ce sont surtout ces couvertures d'hiver qui réapparaissaient dans les maisons, année après année, jusqu'à ce que les rouges, passés, soient devenus roses et que les blancs, au fil du temps, aient peu à peu jauni.

Ci-contre Si un vrai couvre-lit en patchwork n'est pas dans vos moyens, rabattez-vous sur une nappe. Elle vous offrira le plaisir de contempler un superbe tissu décoratif riche de motifs cousus avec amour.

Pages précédentes Dans le salon de ce cottage, une courtepointe est négligemment jetée sur le canapé, tandis qu'une bande de tissu aux motifs d'un rouge assorti protège les bras et le dossier tel un châle.

Ci-dessus Dans cette chambre
de la maison de Sheldon Hawkins,
à Derfield dans le Massachusetts,
le couvre-lit est une pièce de musée.
On appréciera la qualité et le rythme
du matelassage, surtout visible dans
le rabat au bout du lit. Les chemises
de nuit anciennes font partie du décor.

Page ci-contre Dans cet intérieur minorquin, on a transformé en nappe un simple bout de tissu imprimé, vestige d'un ancien rideau peut-être, ou d'une housse estivale.
Un charme désuet se dégage de la pièce, avec ses meubles en bois à la peinture écaillée. On perçoit presque l'arôme subtil des fleurs des champs et la chaleur des gros bouquets qui leur donnent la réplique.

PATCHWORKS ET STYLE CAMPAGNARD

Aujourd'hui, on prend grand soin des patchworks anciens. Les plus précieux seront montés sur un cadre puis suspendus au mur. Une pièce fragile, doublée, pourra venir habiller une table – non celle où vous dînez, mais peut-être une petite table reconvertie en chevet ou placée dans un couloir. Si vous tenez à vous servir d'un patchwork comme nappe, faites découper une plaque de verre aux dimensions de la table pour le protéger. Tel est le conseil de Blanche Greenstein et de Thomas Woodard, spécialisés dans le commerce des tissus anciens à Manhattan. Les patchworks plus récents, voire certains plus anciens mais en très bon état, conserveront leur fonction première de couvertures, de couvre-lits ou de jetés.

Les spécialistes tiennent à prévenir qu'actuellement, dans différents pays, et en particulier en Chine, on fabrique de faux patchworks anciens. On reproduit des quilts amish, dans des tons unis, puis on les lave à de nombreuses reprises pour faire passer leurs couleurs. Sachez les reconnaître, car la différence de prix est très importante et il serait dommage de payer du neuf au prix de l'ancien.

Les housses en patchwork, formées de petits morceaux de tissus cousus ensemble sans doublure ni matelassage, ont également beaucoup de charme. Toutefois les patchworks ne sont pas les seuls tissus qui puissent trouver place dans une maison campagnarde. Les couvertures indiennes, anciennes ou non, y seront aussi du plus bel effet. Ces rouleaux de chintz ancien des années 1930 et 1940 aux motifs de roses cent-feuilles font de belles nappes ou de jolis rideaux. Certaines personnes ne collectionnent que les nappes imprimées des années quarante, avec leurs pommes, leurs raisins et leurs bananes sur fond de coton blanc souvent bordé de rouge. On continue à produire ce type de nappes aujourd'hui. Ces coupes de fruits textiles sont très appétissantes !

Dans les brocantes et marchés aux puces, cherchez des chemises de nuit anciennes, du linge de lit, des taies d'oreiller, des

Ci-dessus Ce tissu à franges, qui fut peut-être un châle ou une nappe, recouvre aujourd'hui le manteau de la cheminée. Dans cette pièce toute blanche, les rayures horizontales bleues apportent un trait de couleur tandis que les franges aèrent la décoration. Cette étoffe prouve bien que tout ce qu'on peut trouver en chinant, depuis la nappe en dentelle jusqu'à la housse de piano ou une fin de rouleau de chintz encore neuf, est susceptible d'avoir plusieurs vies.

Pages suivantes De la peinture blanche partout : au plafond, sur les murs, au sol, et des textiles également blancs font de cette chambre mansardée un lieu spacieux, clair et immaculé. On est bien loin de l'image du grenier poussiéreux. Le tissu noir à fleurs au pied du lit relève l'ensemble, contrastant avec la courtepointe.

Ci-dessus Une pièce ton sur ton comme celle-ci est propre, lumineuse et estivale. Il est étonnamment facile de créer une ambiance avec des tissus, surtout si on les a dénichés aux puces, source inépuisable de linge ancien.

Page ci-contre Ce banc en bois fournit la preuve qu'il ne faut jamais rater une braderie de tissus ou les soldes. Les tissus vert, jaune et bleu sont identiques, comme si l'on avait acheté la fin de trois rouleaux. Le quatrième, rouge, qui n'a rien à voir, semble avoir été posé là pour faire une bonne farce. Et ça marche !

tapis en lirette ou des échantillons de broderie. Une chemise de nuit accrochée sur un cintre fera un clin d'œil au passé. Et on peut même la porter ! Les plus belles taies d'oreiller sont brodées en richelieu ou ornées de bordures crochetées. Réunissez des alphabets au point de croix ou des échantillons de points de broderie et encadrez-les ou mettez-les sous verre.

Les petits tapis, parfois à motif animalier (chien, chat) ou nautique (bateaux) ont beaucoup de succès encadrés et reconvertis en tentures, mais on peut aussi les laisser à leur place naturelle, sur le plancher. Quand vous achetez des tissus anciens, surtout s'ils sont fragiles comme le lin ou les dentelles, présentez-les à la lumière pour vérifier qu'il n'y a pas de trous. Dans le cas contraire, ils ne dureront probablement pas longtemps.

Profitez des bonnes affaires proposées par les soldeurs de tissus qui écoulent les derniers rouleaux des grandes marques et des stylistes de renom. Achetez plusieurs longueurs d'un même tissu en deux ou trois couleurs différentes mais se mariant bien pour en couvrir un lit, un banc ou le dos d'un canapé. Si vous trouvez un chintz rayé assorti à un autre imprimé à fleurs, faites-en un ensemble. Vos morceaux sembleront se répondre. Quand vous avez l'occasion de faire de bonnes affaires, voyez les choses en grand : il est toujours plus facile d'utiliser un grand tissu que des coupons.

Collectionnez des textiles parce qu'ils offrent une magnifique débauche de couleurs ou, si vous êtes un adepte du blanc, précisément en raison de leur totale absence. Une pièce blanche évoque les températures estivales et crée une agréable sensation de

Page ci-contre Dans cette chambre d'une maison du Gloucestershire, le dais est savamment négligé. L'imprimé floral doublé de rose nacré est suspendu à une tringle et appuyé sur la tête et le pied du lit. Les rideaux sont taillés dans la même étoffe mais on a choisi un tissu à carreaux très gai pour la housse de couette, les coussins et la chaise. La palette de couleurs, dans les pastels, donne une unité à ces deux étoffes de chez Osborne & Little.

Ci-contre Comme précédemment, c'est une nuance, ici le rouge, qui permet de passer d'un tissu à l'autre sans faute de goût, même si l'on marie fleurs et carreaux. La présence du fauteuil blanc facilite la transition entre les deux.

fraîcheur quand il fait lourd et étouffant dehors. Indépendamment du climat, un lieu immaculé évoque la netteté, la perfection et produit un effet apaisant (mieux vaut cependant avoir une bouteille d'eau de Javel et une machine à laver pour l'entretien).

Peri Wolfman, vice-présidente du design des produits de la chaîne de distribution et de VPC Williams-Sonoma, partage son loft de SoHo avec son mari, Charles Gold, photographe, et leurs trois chiens. Les meubles du salon sont couverts de toiles blanches de Marseille. Les chiens perdent-ils leurs poils ? Oui. Les chiens laissent-ils des traces de pattes sur les tapis ? Oui. Les invités renversent-ils leur vin ? Oui. Et que fait la maîtresse de maison ? Elle passe les tissus à la machine. Et revoilà le blanc virginal.

Peri Wolfman n'est pas la seule à aimer le blanc. Mallory Marshall, décoratrice d'intérieur de Portland dans le Maine, aux États-Unis, a deux résidences sur la côte. Quand elle tombe sur un vieux meuble peint, bureau, table ou chaise, elle le décape pour le repeindre en blanc. Une maison à la campagne où le blanc est roi – les planchers, les plafonds et leurs poutres, et même les chaises en osier, tout est peint en blanc – ne dégage

Ci-contre Ce patchwork amish représente des oies et leurs oisons tandis que la bordure symbolise un vol d'oies. On retrouve le même motif sur les coussins, et les tons du patchwork sont aussi ceux du jeté. Ce patchwork offre un fond au graphisme audacieux à la méridienne en osier dans laquelle on s'installerait volontiers avec un bon livre.

Page ci-contre Dans cette véranda à l'ancienne, avec ses stores à claire-voie, que rafraîchissent les pales du ventilateur, fauteuils et canapé ont été recouverts au petit bonheur la chance de couvertures crochetées, d'un tapis tissé et de métrages de tissus dans les rouges. Il fallait ces tons vifs pour ressortir sur le fond gris-vert.

Ci-contre Ce patchwork, aux motifs d'étoiles changeantes, associe d'une manière subtilement électrique le vert, le lavande et le rose pour venir rythmer le mur derrière la commode. Ainsi placé, le tissu est protégé. La photographie se détache sur ce fond coloré. Ce patchwork, comme celui de l'illustration du dessus, se caractérise par son graphisme géométrique qui semble en mouvement, comme s'il y avait une animation.

pas du tout la même atmosphère froide et austère qu'un appartement minimaliste aux surfaces vides et lisses. À la campagne, le blanc sur blanc fait simplement naturel.

Les dais ne sont pas réservés aux appartements urbains de style classique. À la campagne on choisira des étoffes plus sobres, un tulle qui servira de moustiquaire, un voile de coton, de batiste, des filets de pêche (en bord de mer), de la toile ou de la dentelle. Des nappes anciennes en dentelle retrouveront une nouvelle vie drapées sur le mur à la tête du lit ou accrochées comme des rideaux aux tringles d'un baldaquin.

Un des petits plaisirs de la vie à la campagne est de faire les vide-greniers, les brocantes et les petits marchés aux puces, nombreux en fin de semaine. Chiner est une activité très prenante, surtout sous la pluie, mais il est difficile de se ruiner dans ce genre d'endroits. Il est assez aisé de collectionner les tissus. Même si leur éclat s'est atténué, ne sont-ils pas partout autour de nous ? S'il arrive qu'il faille les restaurer un peu, ou du moins bien les nettoyer, ils ne demandent le plus souvent qu'un peu de soin et d'attention. Et il suffira d'un lit, d'un coussin ou d'une table pour leur donner une nouvelle vie.

Aux États-Unis, on trouvera dans les marchés aux puces des patchworks mais aussi des dessus-de-lit chenille, des rideaux en dentelle, des couvertures anciennes venant des illustres fabriques Beacon (Canada) et Hudson Bay (États-Unis), des jetés de satin froncé, des draps de lin anciens et de grandes taies d'oreiller. Pour pimenter vos

Ci-dessous Une pièce toute blanche, à la campagne et même en ville, est un bon moyen de récupérer de vieux meubles. Quelques couches de peinture blanche et les murs irréguliers, les briques cassées de la cheminée ou les poutres fendues sembleront bien lisses et parfaitement propres. Un tissu ancien, accroché avec quelques punaises à la poutre qui passe au-dessus du lit, est glissé derrière la tête pour suggérer un dais.

Page ci-contre Cette charmante alcôve protège une banquette sous une fenêtre, lit d'appoint ou cachette secrète. Sous le matelas, le sommier aux planches un peu écartées dépasse, ce qui permet d'y poser des plantes, une tasse de café ou un journal. Les rideaux de batiste blancs sont suspendus à un fil métallique, on peut ainsi les tirer pour protéger son intimité. Le matelas, la courtepointe et les coussins sont recouverts d'une économique cotonnade indienne, mais l'accumulation de coussins donne à ce coin une luxueuse extravagance.

Ci-contre La courtepointe
à fleurs, probablement
du troisième quart du XIXe siècle,
est le point de mire de cette
chambre. Les plus grandes
courtepointes anciennes,
réalisées entre 1840 et 1860,
datent d'une époque où les lits
étaient larges et surélevés.
C'est la raison pour laquelle
elles conviennent aux grands lits
(160 x 200) contemporains.
La table disparaît sous
une nappe blanche ajourée
posée sur une sous-nappe.

Ci-dessus Les tissus reviennent
moins cher que des placards.
Dans cette salle de bains
le rideau blanc terminé par
un ourlet festonné est
simplement noué à une tringle
passant sous les lavabos.
Le résultat est aussi décoratif que
fonctionnel. Il féminise la pièce
tout en cachant le contenu
des étagères. On remarquera
la découpe qui prévoit un espace
pour les pieds.

Ci-contre L'immense patchwork couvrant le mur du fond offre une texture bien différente de la table de réfectoire parfaitement lisse, des chaises métalliques et des arêtes du plafond de cette pièce à la beauté austère. Le quadrillage des meneaux se retrouve dans celui des chaises. En dehors de la tenture, le chemin de table, les chandeliers élancés, les coquillages ainsi que les fleurs et la verdure qui les entourent apportent grâce et légèreté à cet espace imposant.

Page ci-contre Le somptueux tissu orné de fleurs, de feuilles et de verdure négligemment jeté sur le fauteuil est une tapisserie. C'est une sorte de broderie réalisée avec une laine spéciale sur une toile. Ces tissus peuvent bien sûr servir de couvre-lits, de tentures ou faire un jeté immense et luxueux. Les fleurs du bouquet posé devant l'âtre reprennent les teintes délicates de la tapisserie.

Ci-dessus Un voilage rebrodé teint en bleu dissimulant une fenêtre dont le haut des carreaux est arrondi fait paraître la vue mystérieuse. Le voile transparent soigneusement attaché en quatre points tombe élégamment au sol, à la manière de la traîne d'une robe de soirée. Ce panneau apporte une douce couche de couleur en adoucissant et modulant la lumière.

recherches, amusez-vous à vous limiter à un type d'étoffe, afin de pouvoir la décliner sous toutes ses formes dans votre intérieur. Renny Reynolds, designer floral de Manhattan spécialisé dans les décorations de fêtes, a couvert toutes les fenêtres de sa maison de Bucks County, à Pasadena, de longueurs de dentelles anciennes en vrac. Le soleil, traversant les fragiles étoffes, se déplace dans la pièce et l'anime d'ombres en filigrane.

Pour ajouter des couleurs à une maison rustique, recouvrez les lits de couvertures amérindiennes aux coloris vifs. Elles existent dans tous les tons de rouge, bleu de cobalt, turquoise, émeraude, avec des motifs indiens (bisons, chevaux) ou géométriques (rayures ou losanges). Elles attireront tous les regards et réchaufferont de leurs tons et de leurs rythmes les espaces neutres.

ART POPULAIRE

Si pour certains, un patchwork sert à couvrir un enfant une nuit d'automne un peu fraîche, pour d'autres, qui viennent de payer plusieurs milliers de dollars ou d'euros pour un quilt amish du début du XXᵉ siècle, orné d'une magnifique étoile violette bordée de vert émeraude et de brun-roux, ce sera une œuvre d'art, à regarder et à admirer au même titre qu'une peinture de Joseph Albers, Mark Rothko ou Kenneth Noland.

On fait aujourd'hui des patchworks dans le monde entier, d'Haïti jusqu'en Chine, pour les exporter vers l'Europe et les États-Unis. On les coud toujours à la main, mais ce ne sont plus des exemples de travaux d'aiguille peu onéreux.

Les patchworks ont une présence visuelle. Ce sont aussi de véritables leçons tactiles d'histoire et de folklore. Il suffit de s'attacher au nom de leurs motifs. Certains sont purement descriptifs : Feuille d'érable, Tulipe, Corbeille de fruits. D'autres évoquent les animaux ; Vol d'oies sauvages, Chasse à l'oie sauvage, Coquillage ou Palourde. D'autres encore nous font entrer dans l'intimité des gens, ainsi le motif en zigzag connu sous le nom de Chemin d'ivrogne est-il surnommé Mari de la campagne ou Route cahoteuse à Dublin et en Californie. Ce que vous faites de vos patchworks ne regarde que vous. Ils ne vous tiendront jamais aussi chaud qu'un véritable édredon mais seront toujours un régal pour les yeux.

Ci-dessus Le patchwork orange et blanc attire le regard dans cette pièce blanche où la délicatesse semble présider à la décoration. Les moulures murales sont aussi raffinées que le lit en fer forgé et la petite table haute surmontée d'un bouquet. Le motif orangé est des plus rafraîchissants.

Ci-contre Dans cette petite chambre mansardée, le bois de la tête de lit et des huisseries contraste avec la peinture blanche des murs et du plafond. Ici comme précédemment le motif rouge orangé et le tissu soigneusement plié sont vifs et plein de bonne humeur. Ils réveillent une petite pièce tranquille.

Page ci-contre Une collection de patchworks bleu et blanc trône sur cet énorme portant. Leurs motifs témoignent tous d'un graphisme audacieux très vivant. Exposés ainsi, ils prennent un relief presque tridimensionnel. Ils demandent à être touchés, examinés et comparés. Ici le thème est le camaïeu, mais une collection peut partir de n'importe quelle idée, de l'envie de n'avoir que des patchworks amish, des arbres de vie ou des couvertures pour enfants par exemple.

Ci-contre Dans cette chambre très féminine, un grand patchwork à motif floral fait office de tenture murale tandis que le motif de celui qui sert de couvre-lit est beaucoup plus discret. Le bouquet de fleurs fraîches ajoute encore à la féminité du lieu sans tomber dans la mièvrerie.

TISSUS D'APPARAT

Utiliser des tissus de style, c'est prêter attention aux moindres détails pour créer de somptueuses compositions et faire naître de fascinants effets presque théâtraux. C'est le choix et l'agencement des textiles (couvre-lits de satin, dais de soie ou tapisseries de sièges damassées) qui donnent à un lieu son caractère sensuel et hédoniste. Les pièces d'apparat empruntent des éléments du mode de vie aristocratique pour les réinterpréter dans un cadre quotidien. En Afrique, en Inde, en Chine, en France, en Grèce ou en Grande-Bretagne, dans toutes les cultures, les tissus symbolisent le statut. Plus beaux seront la tente, les vêtements, les couvertures, les tentures, les tapis ou les dais d'un individu, plus sa position sociale sera élevée. John Morley dit ainsi des intérieurs médiévaux dans son histoire du mobilier en Occident : « Matelas, coussins, lambrequins et draperies venaient au secours du corps assis et le protégeaient des courants d'air. Le chatoiement des couvre-lits aux incrustations d'or était éclatant sous la lumière des étoiles ».

Le mobilier était loin derrière. Les cours voyageaient pour montrer leur autorité, et du mobilier en bois transportable, parfois fruste, que l'on dissimulait sous de luxueux tissus, les accompagnait. On recouvrait d'étoffes les tables et les buffets. Lorsque châteaux et hôtels particuliers furent conçus, il n'y avait pas de couloirs. Les pièces se succédaient en enfilade et leurs portes se faisaient face. Quand elles étaient toutes ouvertes, le vent pouvait s'engouffrer sur toute la longueur. En France on créa alors les portières, grands rideaux ou tapisseries que l'on suspendait devant les embrasures pour arrêter les courants d'air. De nos jours elles apportent leur prestance à une pièce.

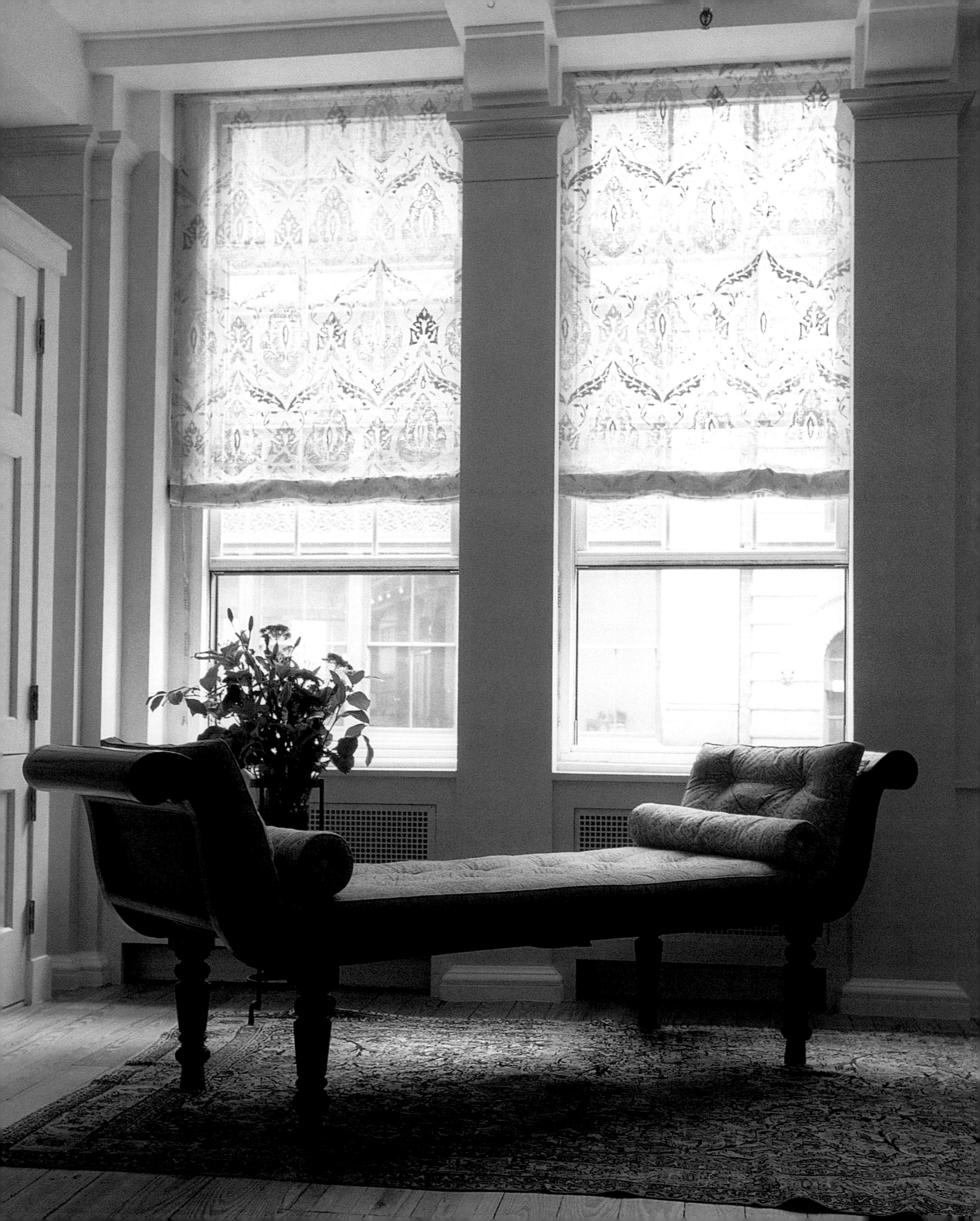

Page ci-contre Mario Buatta, architecte d'intérieur, pense que dans des pièces saturées de rouge, de rose et de pêche, on a tous un teint éclatant. Ici le mélange de tissus est particulièrement exubérant. On apprécie l'asymétrie du dais et la somptueuse tête de lit.

Ci-dessous Cette fenêtre aurait pu être simplement agrémentée d'un banc, mais l'alcôve dessinée par les rideaux est devenue un abri secret où des coussins invitent à s'étendre devant des brise-bise violets qui protègent des regards indiscrets.

DAIS ET BALDAQUINS

Dans l'Antiquité romaine et grecque, dais, baldaquins et auvents, purement fonctionnels, étaient faits à l'origine de tissus ordinaires. Les baldaquins furent les premiers parasols, destinés à protéger reines, rois et armées de la chaleur. Le vélarium, grand store de toile, était accroché en extérieur pour protéger les gens du soleil, chez eux ou dans les théâtres en plein air. Les baldaquins couvraient les trônes, les couches et les lits, procurant un confort réel ou symbolique, tout en signifiant le rang de ceux qu'ils abritaient. Les rideaux et tombants muraux ajoutaient chaleur et douceur aux maisons. Dans le château de Versailles, la chambre du roi comporte un grand lit à baldaquin des plus élaborés dans lequel Louis XIV, après avoir tiré les tentures autour de lui pour avoir un peu d'intimité, dormait officiellement. En fait il couchait ailleurs. Une porte secrète, dissimulée dans le mur, donnait sur un escalier qui conduisait à une pièce plus intime aux murs épais. Cette chambre privée était plus petite, et par conséquent plus chaude. Même les berceaux des héritiers royaux étaient surmontés d'un dais et exhibés comme symboles étatiques. Dans les appartements contemporains équipés de chauffage central, les baldaquins ou les dais n'ont plus à protéger du froid, leur fonction serait plutôt d'ajouter un intérêt architectural aux pièces. «Le baldaquin ou le ciel du lit en font le point central», selon Ronald Bricke, architecte d'intérieur new-yorkais. «Ils changent la hauteur de la pièce.»

Ci-contre La tête sculptée de ce lit asymétrique, avec ses deux colonnes torses, est richement ornée. La dentelle artistiquement drapée suggère un dais tout de légèreté, évoquant le voile d'une mariée. Les coussins anciens de dentelle, féminins, fragiles et délicats, contrastent avec le bois sculpté.

Son regretté confrère milanais Renzo Mongiardino, connu pour ses décorations théâtrales et voluptueuses, a conçu pour une pièce sur deux niveaux avec une unique fenêtre assez basse, une tente à double drapé. S'inspirant d'une tente turque du XVIIIe siècle, il la fit retomber du plafond en double vague et installa à l'intérieur un lustre qu'il fit descendre assez bas. Le dais qui cachait les coins sombres dans le haut de la pièce concentrait la lumière de la grande fenêtre dans la journée et celle du lustre le soir. Une pièce ou un lit ainsi décorés acquièrent romantisme, séduction et sensualité et nous font nous sentir dorlotés, choyés et riches. Ils évoquent à la fois les contes de fées, les plaisirs et l'amour. « Les baldaquins sont sous-estimés, surtout par les hommes, jusqu'à ce qu'ils aient réellement dormi dessous », explique Mario Buatta, surnommé « le Prince du chintz », célèbre pour avoir importé aux États-Unis le style campagnard anglais. Il a un jour créé un lit à baldaquin pour un couple de jeunes mariés. Il en fit un véritable cocon en accrochant un rideau à une cantonnière tout autour. Le mari, rentrant du travail, enleva son manteau, regarda le lit et dit « Est-ce ainsi que les hommes dorment ? » Buatta répondit affirmativement, quitta la maison et essaya de les appeler tout le week-end pour savoir s'ils étaient contents. Mais il n'eut pas de réponse. Ainsi se passa le vendredi. Et le samedi et le dimanche. Le lundi enfin, l'épouse comblée appela l'architecte et lui raconta qu'ils s'étaient glissés dans le lit le vendredi et n'en étaient pas ressortis avant le lundi. Ils n'avaient jamais rien connu d'aussi romantique. Malheureusement, il ne suffit pas d'un lit pour sauver un mariage : huit ans plus tard, ils divorçaient, et l'homme emporta le lit pour sa nouvelle femme.

Servez-vous de textiles au drapé naturel, soie, satin de soie, taffetas, toile, lainage et cachemire. La soie, bien sûr, reflète la lumière, et certains fabricants comme Osborne & Little tissent des soies épaisses bicolores, rouges sur une face et magenta sur l'autre, ou émeraude et turquoise. Les rayons lumineux tombant sur ces étoffes créent des variétés de teintes extraordinaires.

Page ci-contre Comme les paliers d'escaliers, les angles des pièces risquent de devenir des recoins oubliés. Celui-ci s'est transformé en exposition de textiles. Une cordelière épaisse à gros glands dorés sert d'embrasse au rideau tombant voluptueusement jusqu'au sol. D'autres tissus, un brocart rouge et une étoffe noire à carreaux dorés drapés sur un paravent non dénué d'intérêt traînent sur le plancher.

DÉCORS THÉÂTRAUX

Renzo Mongiardino conçut des intérieurs spectaculaires, des chambres et des palais, des villas, des châteaux et le célèbre café Florian à Venise. Ses pièces vous transportent hors du temps, vers des lieux de féerie et de beauté, parfois inspirés par la Rome et la Grèce antiques. Mongiardino conçoit les pièces comme des décors de scène. De toutes les pièces d'une maison, la chambre s'impose comme l'espace voué à la théâtralité. C'est de fait le coin de l'intime, du rêve, l'espace où exultent la chair et l'imaginaire. C'est le lieu où les corps dénudés frissonnent au contact des étoffes, soies, lins, velours ou cotons égyptiens. Pensez à votre pièce, film, roman ou lieu exotique favori. «Les pièces décorées comme des scènes de spectacle font de superbes chambres d'amis, avait dit Ronald Bricke. Elles sont différentes de toutes celles que l'on ait déjà rencontrées. On pourrait être dans la casbah ou le Taj Mahal». On peut masquer tout un mur de tissu drapé à la grecque ou à la romaine. Ou, comme Mongiardino, d'un tissu damassé rouge, avant de le recouvrir d'une étoffe blanche qui laissera apparaître le rouge dans le haut. Il enveloppa les murs d'une salle de bains d'épais tissu éponge blanc bordé de franges dorées. Dans l'appartement de Ronald Bricke à Manhattan, il y a une collection de quarante peintures, dessins et eaux-fortes. Pour les présenter, il les a disposées sur plusieurs murs adjacents, puis a dessiné des rideaux blancs opaques, deux pour chaque mur, afin de les dissimuler. «Ouvrez les rideaux et vous ne verrez que deux tableaux», dit-il. Lorsqu'une pièce est entièrement couverte de tentures le son est étouffé. «C'est comme dans les rues d'une grande ville lorsqu'il neige».

Si on ne veut pas d'un baldaquin complet ou si on ne souhaite pas cacher un mur entier derrière un tissu, il suffit d'en couvrir juste une partie. Ronald Bricke collectionne les textiles. Il aime

Ci-contre On a soigneusement plissé, cousu et tendu cette étoffe afin de créer un effet de rayonnement solaire. Tout est ici contraste, souplesse du tissu et tête de lit laquée, mat et brillant, bois et étoffe. Sur le chevet une autre opposition : les pétales soyeux du bouquet de roses côtoient une lampe en métal étincelante.

Page ci-contre Ce lit n'est pas fait pour la lecture des quotidiens. Avec son éclairage tamisé et les vagues retombantes de ses drapés d'étoffes, il incarne la douceur et la séduction d'une alcôve coquine. Le charme de cette chambre naît dans l'excès des tombants du ciel de lit, du pastel effrangé du tour de lit et de l'accumulation de drapés sur les murs et le plafond. Lorsqu'on se glisse dans cette couche, l'association des trois tissus différents ne doit pas manquer d'éveiller sur la peau une série de sensations exquises.

Pages précédentes Drapés solennels. Une tenture blanche au drapé gréco-romain recouvre langoureusement les murs. « Les drapés ajoutent des lignes verticales à une pièce », selon Ronald Bricke, architecte d'intérieur new-yorkais. « Le drapé à l'image d'un baldaquin est quasi sculptural ».

Ci-contre « La multiplication des motifs fait de cette chambre étroite d'une hauteur exceptionnelle un lieu douillet », nous dit Mario Buatta. Les différents décors jouent les uns avec les autres. Un premier recouvre les murs, les rideaux et le lit, un second forme une frise dans le haut de la pièce, alors que deux mosaïques différentes habillent le sol.

Ci-contre Le décorateur a ici
entassé des rangées de coussins
tous différents sur le matelas
de ce lit à baldaquin en bois, afin
d'en faire un espace où s'asseoir
sans s'endormir instantanément.

ponctuer l'espace de grandes longueurs (5 m) de damas vert poison, de
soie indienne lavande chatoyante, il aime jeter des taches de couleur sur le
dos d'un sofa tout blanc dans une pièce immaculée. « Ce peut être
l'unique tissu de la pièce, dit-il. Il suffit d'avoir des saris différents et de les
changer suivant les saisons. On peut disposer le jaune safran sur le sofa au
printemps et le remplacer par un bleu glacier ou un lavande durant l'été. »
Il rapproche l'usage des fleurs et celui des tissus. « Une semaine vous aurez
des tulipes et la suivante des hortensias roses ». Les étoffes sont des éléments de décor mobiles, que l'on installe, enlève ou déplace selon sa fan-
taisie. Dans un décor grand style, elles couvrent non seulement le lit, et
éventuellement les murs, mais aussi le sol et les éclairages. Un hédoniste
ne doit pas avoir à poser ses pieds nus sur un sol glacé. Les tapis sont faits
pour le recouvrir. La lumière s'enrichit en traversant la soie, le papier ou le
verre. Tout peut s'organiser autour du lit. Il pourra être chinois, quasi-
chambre à l'intérieur de la chambre. Certains sont en bois sur trois côtés,
sur d'autres les rideaux de soie se tirent tout autour. Peggy Guggenheim
commanda à Alexander Calder une tête de lit en métal ornée de poissons
sculptés. Certains lits comportent quatre colonnes. C'est l'utilisation extra-
vagante des étoffes qui adoucit la rigidité de leurs formes : housse de
couettes en velours couvrant d'énormes édredons de duvet, couettes,
oreillers en quantité, ajoutés à des rideaux que l'on ouvrira, accrochera ou
laissera tomber jusqu'au sol pour tamiser la lumière.

Ci-dessus Les voûtes du plafond
et les fenêtres en plein cintre autant que
les voilages blancs du lit à quatre colonnes
ajoutent à la dramaturgie de cette chambre.
L'infinie légèreté des voiles immaculés vient
compléter les fines colonnes que sépare
le volant plissé du lit. L'abat-jour en tissu
froncé diffuse une lumière dorée.

Page ci-contre Une tente de voyage napoléonienne complète avec son mobilier de campagne et ses traditionnelles rayures installée dans un intérieur. Même si le matériau n'est qu'une ordinaire toile à matelas, la mise en œuvre en fait un objet d'art. Les rayures sont parfaitement alignées à la jonction des dais, des murs et du plafond. Il se dégage de cette tente d'intérieur une ambiance romanesque.

Depuis l'Antiquité les chefs de guerre, perses, français ou anglais, ont utilisé quantité d'étoffes dans leurs tentes. Les tentes perses associaient flanelle et applications de soie. Dans les yourtes mongoles, les portières s'ornaient de motifs floraux, roses, coquelicots et lys. La tente d'Henri VIII d'Angleterre regorgeait de brocarts d'argent et d'or. Les véritables tentes de campagne, elles, étaient en solide toile rayée rappelant la toile à matelas. Mais pourquoi les tentes seraient-elles reléguées à l'extérieur ? Transformer complètement en tente l'intérieur d'une pièce en fait une sorte de cocon sans vrais murs. Y dormir crée l'illusion de camper en extérieur, mais avec tout le confort moderne. Selon Todd Dalland, décorateur dans un cabinet de Manhattan spécialisé dans les structures souples, « si les gens s'emparaient des technologies modernes avec autant d'enthousiasme dans la construction que pour faire évoluer les avions, les ordinateurs ou les textiles destinés à l'habillement, les maisons ressembleraient à des tentes… Elles s'arrondiraient et dégageraient une plus grande sensualité. Tentes et chapiteaux demandent moins de matériaux et sont plus légers ». Ce type d'habitation peut aussi être translucide. À Tokyo, l'architecte Noriyuki Asakura a surmonté la maison où il vit avec son épouse Sachiko d'un toit en forme de tente en fibre de verre et résine. À Manhattan, l'architecte Gisela Stromeyer a dessiné pour l'agence de mannequins Click une salle de conférences faite en partie de tissu et en partie de murs incurvés en fibre de verre. La lumière du jour, pénétrant par une verrière, inonde la pièce et joue avec les textiles transparents.

Ci-dessus Rayures en tous sens. Trois motifs à rayures dirigés dans des directions différentes se rencontrent ici. Les multiples rayures du mur le mettent en valeur. Comme un motif est vertical et l'autre horizontal, ils ne fatiguent pas le regard. Le rideau ajoute couleurs et douceur à l'ensemble.

Ci-contre (à gauche) Comme les paliers, les escaliers ont tendance à être des lieux oubliés. À Rajvilas, dans l'hôtel Oberoi de Jaïpur en Inde, un textile au motif en chevrons orne le mur de la cage d'escalier. Son rythme est assez puissant pour amener tous ceux qui passent devant à s'arrêter.

Ci-contre (à droite) Une étoffe matelassée aux larges raies rouges et blanches couvre le mur et le lit, accentuant la hauteur de la pièce et lui imposant une unité. La tapisserie, suspendue à la même hauteur, équilibre l'espace. Ce sont leur densité et leurs dimensions qui rapprochent ces deux tentures un peu disparates.

Pour transformer tout ou partie d'une pièce en tente, ou simplement réchauffer les murs, vous disposez d'un choix de textiles s'étendant des lourdes tapisseries aux légères tentures en soieries brodées et aux polypropylènes translucides tendus sur des cadres. Les tapisseries, véritables cloisons mobiles, illustrent histoires et mythes anciens. Du Moyen Âge au XVIIIe siècle, princes et rois, qui les considéraient comme de véritables œuvres d'art, s'en faisaient réaliser et les collectionnaient. L'empereur Charles VI en commanda une série illustrant ses succès militaires. Louis XIV en possédait une importante collection et Henri VIII en avait accumulé plus de deux mille. La tapisserie était alors considérée comme un art majeur, et Raphaël aussi bien que Rubens dessinèrent des cartons pour les tapissiers. Leur production déclina à partir du deuxième tiers du XVIIIe siècle au profit des collections de tableaux. Le chauffage faisant son apparition, les tapisseries perdirent de leur importance en tant qu'isolants thermiques.

À l'autre extrémité du spectre des tissus, on trouve les dentelles délicates, les voilages de soie brodés et les tulles de coton imprimés à la main. Ils encadreront une fenêtre, onduleront au-dessus d'un lit ou partageront une pièce. Les nouveaux textiles technologiques, polypropylène ou polyesters japonais entre-tissés d'aluminium ou de cuivre, serviront aussi à des décors d'apparat, dais plongeant autour de lits, voiles de couleur dissimulant des ouvertures ou tentures encadrant le couchage.

Parfois l'envie d'un intérieur plus classe vient simplement de la maturité. Quand on prend de l'âge, quand les enfants quittent le foyer, on peut aspirer à une vie marquée d'un peu de formalisme. Et parfois cette notion s'exprime simplement par le choix de textiles extraordinaires pour les draps de notre lit et le couvre-lit, les taies d'oreillers, les tapis et les tissus d'ameublement.

Ci-contre Camaïeu de pêche. Cette composition d'angle crée une palette de tons pêche qui illumine la pièce. Les fleurs de la tenture sont pêche-abricot, les murs pêche de vigne et les rayures de l'abat-jour en tissu d'un orangé plus profond.

Vivre dans un décor d'apparat peut simplement signifier se faire plaisir dans le choix des tissus, tout comme en devenant moins jeune on se met à préférer les pulls en cachemire aux shetlands ou les jupes en soie aux cotonnades.

Commencez par le lit. Il existe des draps en coton mélangé, en pur coton (plus leur nombre de fils est élevé, plus ils sont doux) ou en lin. La sensation que l'on éprouve en se glissant dans des draps de coton fins fraîchement repassés est incomparable. Par les chaudes nuits d'été les draps de lin ont beaucoup de charme.

Un lit digne de ce nom se contente rarement de deux oreillers. Dans les revues comme chez les gens, on en compte couramment quatre pour deux personnes, deux carrés et deux rectangulaires. Certains montent parfois jusqu'à huit en comptant les traversins. Les oreillers supplémentaires sont peut-être inutiles pour dormir mais ils donnent naissance à une sensation d'extravagance, d'excès délicieux. Ils seront recouverts de coton ou de lin, et souvent ornés de broderies. Leur fragilité même incarne l'idée de luxe.

Page ci-contre La consigne donnée à Laura Anson pour cet appartement londonien était de « le rendre excentrique ». Alliance d'ancien et de moderne pour ce cabinet au plafond élevé volontairement hétéroclite. L'imprimé noir et blanc d'inspiration grecque télescope la tapisserie ancienne, les colonnes du meuble et du tissu créant néanmoins une unité.

Ci-contre On ne s'attendait pas à découvrir de lourds rideaux de brocart dans cette salle de bains d'une ferme du Derbyshire. Ordinairement réservés aux salons et aux lambrequins, ils sont rares dans les pièces d'eau. Ici, ils encadrent une vue campagnarde et une collection de coquillages méticuleusement disposés, tout en assurant l'intimité.

Ci-contre « Si on enlève le voile, il ne reste que des angles vifs », disait Ronald Bricke de cette pièce. Ce voilage magnifiquement taillé, posé asymétriquement et noué sur un côté de la fenêtre, diffuse la lumière, créant le mystère en la laissant s'étaler sur le sol nu. Sa forme moderne qui contraste avec le mobilier apporte une certaine intimité.

Page ci-contre Ces voilages jaunes ont une multitude de fonctions. Ils séparent les deux pièces, créent un minimum d'intimité et filtrent la lumière provenant du living en lui conférant une chaleur solaire. Leur texture éthérée les empêche de distraire le regard des étoffes plus lourdes décorant la partie salon.

Ensuite il y a les couvre-lits, un pour l'hiver, un pour l'été. L'hiver, recouvrez un édre-don de velours, de lin ou de laine brodée. On trouve aussi des housses en cachemire, en soie ou en damas, richement ornées de glands, de boutons ou de ganses de soie.

L'été approchant, une courtepointe matelassée blanche apportera sa riche texture et sa légèreté. De la dentelle blanche appliquée sur un couvre-lit écru ou l'inverse feront un dessus estival rafraîchissant. Du lin bordé d'organza ou de l'organza bordé de lin sont frais et agréables.

Là où autrefois un plancher nu suffisait, aujourd'hui on met des tapis. Il en existe de magnifiques en soie, antiques ou modernes, tout doux et reflétant la lumière. Ils sont fragiles mais on peut les placer sur un tapis de laine ou en descente de lit. Cer-tains tapis sont conçus comme des mosaïques, de l'art abstrait ou de l'Op'Art. Ils sont bordés de soie, de lin peint à la main ou de franges bien fournies. Tout plancher est une toile vierge et un tapis un objet d'art fonctionnel.

Vous assortirez vos fenêtres au reste de la décoration. Adieu les stores, bonjour les superpositions de soie, de coton, de lin, de dentelle et les pongés de soie qui flottent au vent. Il y a du charme dans l'excès : que vos rideaux soient trop longs de quelques centimètres et traînent au sol. Prévoyez trop de tissu, de sorte que, retenus par une embrasse, vos rideaux tombent en nombreux plis volumineux. Qu'ils encadrent la fenêtre ou soient au milieu, vous les nouerez avec d'épaisses cordelettes finies de glands. L'apparat est le style de la maturité.

POUR TISSUS DE LUXE

USAGES NOUVEAUX

Même si les tapisseries sont moins présentes depuis la fin du XVIIIe siècle, elles ont connu un renouveau à la fin du XIXe, sous l'impulsion de l'intérêt pour le tissage du mouvement Arts & Crafts en Angleterre. Les tapissiers contemporains tels qu'Anni Albers, Sheila Hicks et Jack Lenor Larsen créent des pièces uniques modernes, aussi différentes de leurs ancêtres de la Renaissance que l'architecture de Mies van der Rohe l'est de celle de Palladio. Elles partagent cependant une présence tactile exceptionnelle. Quand elles sont figuratives, elles nous racontent une histoire magistrale qui se déroule entre le plafond et le sol. Épaisses et lourdes, les tapisseries dominent une pièce, qu'elles en couvrent les murs ou se placent au-dessus d'un lit, d'une table ou encore dans un couloir. Il vaut mieux cependant éviter de leur demander de s'ouvrir ou se fermer, leur poids les prédestine à rester fixes. Ronald Bricke, architecte d'intérieur de Manhattan, préconise si l'on place un tissu épais sur un lit à colonnes de le doubler d'un voile ou d'une étoffe opaque plus fine. De cette façon, si l'on souhaite s'enfermer dans un cocon douillet, on ne tirera que cette dernière. Certains très beaux tapis, les modèles chinois en soie par exemple, sont bien trop fragiles pour rester au sol. Vous profiterez

Ci-contre (à gauche) On peut housser des chaises, les emballer dans des draps, alors pourquoi ne leur ferait-on pas porter des burnous, ces longues tuniques à capuches ? Pour Ronald Bricke, l'effet est sculptural.

Ci-contre (à gauche)
Très prisées par les nobles du
Moyen Âge qui voyaient en elle
une forme d'art portatif, plus
tard, par le marquis de Sade qui
en tapissa les murs de sa prison,
la tapisserie retrouve, dans cette
salle à manger, sa fonction
première.

Ci-dessus La multiplicité
des textures fait l'attrait de ce
coin repas. Chaque objet –
la tapisserie, la table, les chaises,
les paniers et le cache-pot –
présente une surface solide
que l'on a envie de toucher.
Les fleurs rehaussent la tapisserie
de leur éclat.

davantage de leur beauté en les mettant au mur. Faites
comme Rembrandt qui dans ses toiles représente des tapis sur
les tables et les murs mais non au sol. Les textiles habillent les
chaises. Un modèle ordinaire en bois sera très distingué une
fois recouvert de brocarts, de tissus damassés, de cotonnades,
de lin ou d'un chatoyant satin de rayonne. Les housses ne sont
pas réservées aux décorateurs, vous en trouverez dans les
grands magasins. En 1999, lors d'un dîner organisé par la Fon-
dation pour l'industrie du design afin de lever des fonds contre
le sida, une société décida de parrainer une table. Elle offrit
aux convives un châle pashmina élégamment plié sur le dossier de la chaise en souvenir de la soirée.

Quand on achète des tissus anciens, ils ont parfois souffert et peuvent être abîmés ou présenter des faiblesses. Souvent les pièces sont sales ou poussiéreuses, ce qui contribue à les détériorer. Si vous entreprenez de les nettoyer vous-même, prenez toutes les précautions nécessaires. Si vous n'êtes pas sûr de ce que l'étoffe pourra supporter, consultez un spécialiste de la conservation des tissus anciens. Il saura vous conseiller les produits professionnels les plus adaptés et vous indiquer les techniques de nettoyage les plus appropriées. Il existe aussi des outils spéciaux, comme de petits aspirateurs dont on peut régler le débit. Les professionnels sauront également vous conseiller sur les matériaux à utiliser pour doubler un *kilim*, un tapis ou des tentures que vous souhaitez suspendre, par exemple. Les ateliers de la manufacture d'Aubusson ou, pour les tapis, la Galerie Girard à Lyon font un excellent travail.

Il existe un très large choix de tissus permettant de présenter et de mettre en valeur les étoffes rares. Il est important de savoir choisir celui qui sera compatible sur les plans esthétique et pratique, tout en étant facile à manipuler. La plupart des textiles décoratifs étant en fibres naturelles, les matières naturelles s'y associeront très bien.

Les tissus les plus aptes à doubler les tapisseries murales sont le

Ci-dessous Un restaurateur spécialisé dans les textiles nettoie soigneusement, une à une, à l'eau distillée, les franges d'une grande tenture.

Ci-contre Quand on fixe un tapis, il est important de choisir un feutre de bonne qualité. Ici, le tapis et sa protection sont roulés, ce qui permet de voir la barre d'attache et le sous-tapis.

Ci-dessus Un artisan restaurateur nettoie un dessus-de-lit. Il aspire avec soin la délicate surface brodée avec un petit aspirateur à faible succion, un des outils de la panoplie du restaurateur de textiles. Un tulle enveloppant l'embout évite d'aspirer les fils non arretés, ce qui les tirerait et abîmerait le motif.

Ci-dessus L'artisan protège ici la surface de la broderie avec un tulle de nylon. Il a changé la buse de son aspirateur pour dépoussiérer la surface du tissu.

coton et le lin. Leur poids contribue à donner un beau tombé à la tenture. De plus, ces tissus sont normalement tissés droit et se coupent donc facilement. Si vous décidez de faire une doublure en soie, choisissez une qualité épaisse. Trop fine, elle serait difficile à couper et coudre droit.

Si vous entreprenez de doubler vous-même vos textiles, il est primordial d'investir dans du bon matériel : il vous faudra une paire de ciseaux de tailleur et une petite paire de ciseaux à broder. Un mètre ruban et un mètre d'arpenteur vous seront également utiles. Utilisez des fils en coton de couleur pour vos bâtis et tracez toujours vos repères sur la doublure – jamais sur le textile lui-même – avec de la craie de tailleur. N'oubliez pas de choisir des épingles et des aiguilles d'une taille adaptée. Utilisez toujours des aiguilles fines pour la soie, il est si facile de tirer un fil. Les épingles à tête ronde, disponibles en différentes longueurs et grosseurs, conviendront dans la plupart des cas.

Les étoffes sont fragiles et vulnérables à l'environnement. Pour prolonger leur durée de vie, il est essentiel de les restaurer dans les règles et de bien les entretenir. Ne les exposez jamais directement à la lumière du soleil, qui accélérerait la perte de couleur et la détérioration des fibres. Ne les suspendez pas au-dessus des radiateurs ni dans des endroits humides car, dans les deux cas, les fibres se déformeraient. Il est également important de toujours employer des détergents sans acide et, si vous devez tendre vos tissus sur une surface, d'utiliser des bois et des planches au ph neutre qui n'endommageront pas la structure de leur armure.

Doubler une tenture

Un excellent moyen d'exposer une grande surface de tissu, une tapisserie ou un tapis ancien consiste à le suspendre. Il est important d'utiliser une doublure assez résistante qui servira aussi à confectionner la gaine dans laquelle glisser le support. Un textile mal doublé ne tombe pas bien et risque de s'abîmer.

Il y a plusieurs techniques pour accrocher un tissu ; un moyen sûr consiste à coudre une gaine (un manchon) sur la doublure pour y glisser une tringle que l'on fixe ensuite au mur ou au plafond. La technique de doublage est la même que pour un rideau : on peut décider de poser une triplure, un matelassage ou simplement un coton plus lourd entre le textile et sa doublure. L'important est que l'ensemble vienne renforcer l'étoffe à mettre en valeur. Une toile de lin épaisse conviendra à une tapisserie, une cotonnade à des étoffes plus légères.

On fait un faux ourlet sur la tenture à doubler afin de ne pas coudre la doublure directement dessus. Ce faux ourlet consiste en une bande de tissu rapportée cousue dans le bas du textile.

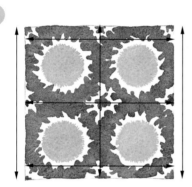

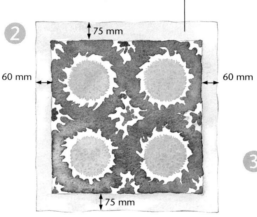

tissu de doublure

Prévoyez 6 cm de surplus pour les coutures latérales et 7,5 cm dans le haut et le bas. Si vous assemblez deux morceaux de doublure, prévoyez 12 mm de chaque côté pour la couture.

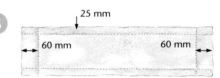

1 Mesurez le textile d'un coin à l'autre et en son milieu. Vous aurez des résultats très différents sur les tissus anciens, souvent déformés parce qu'ils s'agrandissent, surtout dans les coins et au niveau des lisières.

2 Étalez toujours vos tissus bien à plat avant de couper, assurez-vous qu'ils sont parallèles et à angles droits et coupez en suivant un fil du tissage afin qu'ils tombent bien.

3 La longueur de la gaine est fonction de celle du tissu, mais elle doit faire au moins 15 cm de large. Prévoyez 2,5 cm de rempli d'ourlet dans le haut et le bas, et 6 cm de chaque côté.

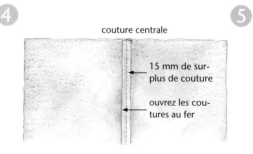

couture centrale

15 mm de surplus de couture

ouvrez les coutures au fer

Faites deux piqûres parallèles pour renforcer le tissu et éviter que la tringle se prenne dedans

25 mm

Fentes permettant d'utiliser des crochets supplémentaires

4 Si le textile à suspendre est très grand, vous devrez faire une ou plusieurs coutures pour obtenir la largeur de doublure nécessaire. Ouvrez toutes les coutures au fer.

5 Piquez l'ourlet dans le haut et le bas de la gaine à la machine en faisant un rentré de 12 mm. Rentrez 2,5 cm aux extrémités de sorte que la gaine soit plus courte de 5 cm que le textile. Ainsi la tringle ne dépassera pas et restera invisible.

6 Si le textile est très long ou très lourd, prévoyez quelques fentes régulièrement espacées. Vous pourrez ainsi mettre placer des crochets qui permettront de répartir le poids et d'éviter que la tringle se courbe.

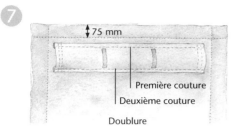

↕ 75 mm

Première couture

Deuxième couture

Doublure

7 Positionnez la gaine au dos de la doublure, à 7,5 cm du haut, endroit vers vous. Épinglez dans le haut et piquez la première couture. Aplatissez la gaine et marquez l'emplacement où le tissu arrive. Épinglez la gaine à 12 mm au-dessus de ce tracé de façon à ménager la place de la tringle sans déformer le devant du textile.

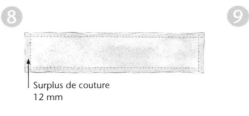

Surplus de couture
12 mm

8 Préparez le faux ourlet indépendamment et cousez-le dans le bas du textile. Cela lui évitera de bâiller dans le bas et de ramasser la poussière ou la saleté. La largeur du faux ourlet dépend bien sûr de celle du textile. Prévoyez un rempli d'ourlet de 2 cm tout autour.

faux ourlet

Placez vos épingles en biais
pour éviter que le tissu plisse

9 Cousez le faux ourlet à la main à petits points glissés invisibles sur l'endroit du textile.

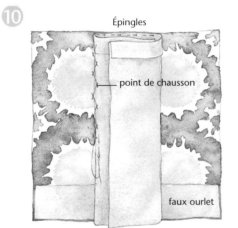

Épingles

point de chausson

faux ourlet

10 Posez la doublure sur le textile, gaine en haut. Faites un repli d'ourlet de 5 mm dans le haut de la doublure et faites coïncider avec le haut du textile. Étendez votre doublure bien à plat.

La plupart du temps, il faut prévoir deux rangées de points de chausson pour attacher la doublure de haut en bas et ainsi répartir le poids du textile. Délimitez trois bandes égales dans la doublure et épinglez dans le haut de la bande centrale. Repliez les bandes latérales dessus avant de faire les coutures verticales qui la solidariseront au textile.

Ne placez pas les épingles
au ras de la lisière

faux ourlet

11 Remettez la doublure à plat et épinglez-la tout autour en rentrant le bord du tissu. Cousez-la à petits points glissés, sauf dans le bas.

couture de renfort

12 Faites une couture de renfort sous la gaine pour que la doublure ne s'écarte pas du textile quand vous placerez la tringle. Dans le bas, faites un point de bouclette de 2,5 cm tous les 15 cm pour que le tissu ne bâille pas.

Votre tenture est maintenant prête à être accrochée. Enfilez la tringle dans son logement. Plantez un support dans le mur pour poser la tringle à chaque extrémité, ou des crochets intermédiaires si le poids de la tenture l'exige.

Monter un tissu à plat

Que vous décidiez de placer votre étoffe sous verre, de l'encadrer ou de la laisser telle quelle, la technique de montage reste la même.

tissu ou papier

Le fait d'étaler votre tissu sur un textile uni ou un papier vous aidera à vous rendre compte s'il est souhaitable ou non de le border. Tracez un patron à ses dimensions et, le cas échéant, à celles de la bordure. Prenez vos mesures d'un coin à l'autre et selon les médianes (au milieu). Comptez la largeur de la bordure si vous en faites une. La plupart des tissus sont légèrement élastiques, il faudra en tenir compte et prévoir un peu de marge pour les fixer sur leur support.

Choisissez une doublure qui aille avec le tissu : elle doit être assez résistante pour ne pas se déformer sous son poids et ne pas goder dans le bas après quelques années. Une petite pièce de tissu peut être montée directement sur son support si vous envisagez de l'encadrer mais une doublure intermédiaire ou un molleton la protégera tout en lui donnant du volume.

1   doublure   carton compressé   colle

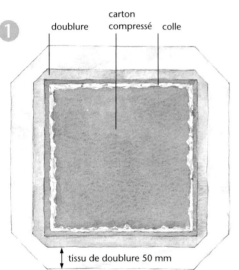

tissu de doublure 50 mm

2   Coupez les coins en onglet

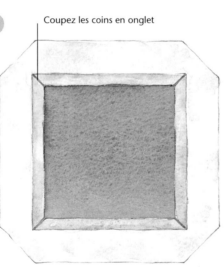

3

Cousez les coins à la main

1 Veillez à ce que le tissu de doublure soit bien dans le droit fil. Posez le molleton sur la doublure puis posez le panneau de carton compressé (isorel) par-dessus, bien au milieu. Encollez le tout autour et coupez les coins du molleton et de la doublure en onglet.

2 Repliez les bords du molleton sur l'arrière du panneau en veillant à ce qu'ils collent parfaitement. Le fait de couper les coins en onglet vous évitera les surépaisseurs.

3 Repliez maintenant les bords de la doublure en veillant également à ce que le tissu colle bien au panneau. Cousez les coins à la main. Retournez votre panneau. Vous pouvez maintenant monter votre tissu.

Si vous montez une grande surface de tissu, placez un cadre avec traverses au dos du panneau afin d'éviter toute déformation (vous en trouverez dans les magasins de fournitures pour artistes). Utilisez de préférence des matériaux ne comportant pas de composants acides, à défaut intercalez une feuille de protection en aluminium.

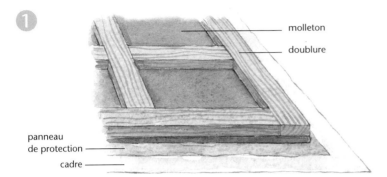

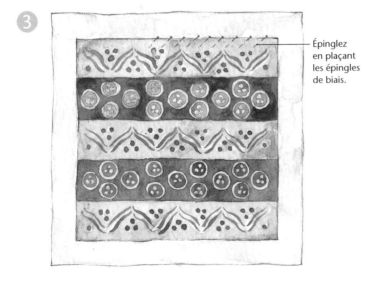

molleton

doublure

panneau de protection

cadre

1 Collez le panneau au cadre avec de l'adhésif. Vous monterez votre tissu comme indiqué précédemment mais en agrafant le molleton et la doublure sur le cadre au lieu de les coller à l'isorel. Commencez à agrafer dans le milieu pour vous rapprocher des coins. Faites ensuite de même sur le côté opposé puis cousez à la main les coins coupés

en onglet. Vérifiez toujours que le tissu est bien droit et qu'aucun pli ne s'est formé.

2 Vous pouvez maintenant coudre à la main votre tissu directement sur la doublure.

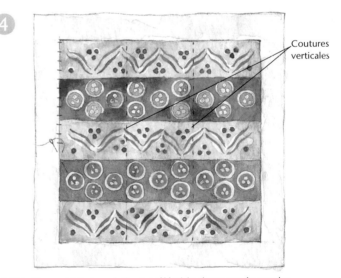

Épinglez en plaçant les épingles de biais.

Coutures verticales

3 Épinglez votre tissu en laissant dépasser la doublure afin de former une bordure aussi large que vous le souhaitez. Étirez doucement le tissu en l'épinglant de manière à éviter qu'il bâille une fois suspendu. Quand vous l'aurez épinglé tout autour, cousez-le sur le dessus en faisant des petits points bien droits et réguliers. Il est parfois plus facile de se servir d'une aiguille courbe.

4 Si le tissu est très lourd, il est préférable de ne pas le coudre dans le bas afin qu'il pende naturellement sans paraître s'affaisser. Vous pouvez aussi le coudre de haut en bas en suivant des lignes imaginaires afin de mieux répartir son poids.

Vous pouvez maintenant encadrer votre étoffe comme un professionnel. Utilisez une marie-louise ou un cache recouvert de tissu, afin que le verre et le cadre ne soient pas directement en contact avec votre tissu. Le verre sera remplacé par du plexiglas si les dimensions l'exigent. Il est aussi possible de ne pas le recouvrir en procédant comme pour un tableau.

Utilisation de portants

Beaucoup de pièces textiles, tuniques chinoises ou japonaises, étoffes kuba, tissus brodés, soutanes ou habits liturgiques, tankas ou textiles doublés gagnent à être présentés suspendus, sur une tringle ou sur un portant. Les objets en trois dimensions, porte-monnaie ou petits sacs brodés de perles, chapeaux, éventails et autres accessoires peuvent se transformer en belles pièces décoratives une fois posés sur un meuble, ou dans une vitrine s'ils sont fragiles.

1 Pour suspendre une tunique, mieux vaut prendre une tringle en bois matelassée afin d'éviter la formation de plis ou de pinces. Des tringles ainsi recouvertes d'une épaisseur de tissu protectrice vous permettront de mettre en valeur vos patchworks et vos étoffes kuba en raphia, souvent trop longues pour qu'on puisse les dérouler complètement. Le tissu intercalaire a aussi pour effet de la protéger des acides contenus dans le bois. Laissez toutefois dépasser un peu de bois de chaque côté pour l'esthétique et pour accrocher votre tringle. Faites un tombant arrondi dans le tissu au niveau de l'encolure, s'il y a lieu, afin qu'il vienne la remplir.

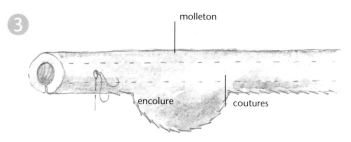

pliure

encolure

2 La tringle doit être assez épaisse pour ne pas se courber sous le poids du vêtement. Vous trouverez du molleton en polyester en différentes épaisseurs pour le matelassage. Choisissez ensuite une étoffe pour le recouvrir, la soie s'accorde bien avec les tissus chinois et japonais. Si vous remplissez l'encolure, prévoyez la découpe en même temps. Rembourrez de plusieurs épaisseurs de molleton, sans excès.

3 Enroulez le molleton autour de la tringle, épinglez-le puis cousez-le à grands points sans trop serrer. Coupez le tissu lui donnant la même forme qu'au molleton mais ajoutez 25 mm tout autour pour les surplus de couture. Épinglez et cousez à petits points glissés invisibles.

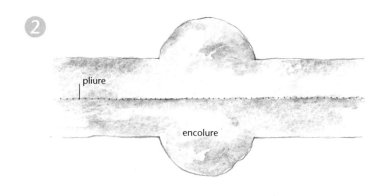

molleton

encolure

coutures

tringle matelassée

bords crantés

petits points avant

4 Pour terminer le matelassage à l'extrémité des manches, coupez un cercle de tissu du même diamètre que votre tringle matelassée plus 12 mm pour le rentré. Découpez dans le milieu un cercle du diamètre de la tringle et crantez le bord intérieur de ce cercle pour le rentré. Cousez-le au point avant. Placez alors cette rondelle sur la tringle et terminez le rentré extérieur comme le premier.

Utiliser des valets

Exposer un objet de tissu en trois dimensions – un vêtement généralement – est un moyen malin qui permettra de le faire admirer sous toutes ses coutures. Le plexiglas, plastique transparent plus léger que le verre, est utilisé par la plupart des encadreurs. Ils pourront peut-être vous mettre en rapport avec un fabricant qui vous fera des vitrines ou des portants sur mesure.

crochets en plexiglas

boîte en plexiglas

◀ Les tankas et autres étoffes similaires peuvent être présentés dans une vitrine en plexiglas. La plupart des tankas sont vendus avec une tringle dans le haut pour l'accrochage. On peut attacher un fil invisible à chaque extrémité pour la fixer dans le haut de la vitrine ou prévoir des crochets en plexiglas. S'il est nécessaire de faire une gaine, reportez-vous aux explications des pages 134-135. On peut aussi utiliser un valet.

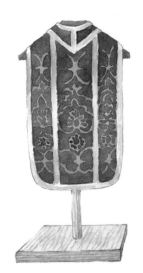

◀ Ce type de support est idéal pour mettre en valeur les deux côtés d'un vêtement d'église ou d'une housse de dossier de chaise chinoise. Le valet doit épouser les formes et être exactement aux dimensions du textile. Le diamètre des montants doit être suffisant pour qu'ils ne se courbent ou ne se cassent pas sous le poids. La partie supérieure pourra être matelassée et recouverte d'un tissu coordonné.

Ce type de structure permet notamment de présenter des chapeaux et autres accessoires. Il suffit de faire fabriquer un support en plexiglas aux dimensions de l'objet.

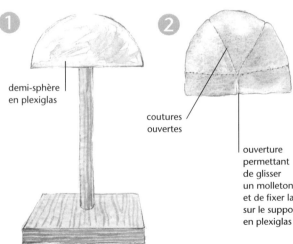

1

demi-sphère en plexiglas

2

coutures ouvertes

ouverture permettant de glisser un molleton et de fixer la gaine sur le support en plexiglas

2 Le molleton doit être assez tendu pour empêcher la formation de plis, mais pas trop pour ne pas tirer sur les coutures du chapeau. Placez le support dans la housse molletonnée ainsi formée et fermez-la en la cousant par en dessous. Votre support est prêt. Si vous souhaitez changer l'objet présenté, il vous suffira de refaire une housse adaptée.

1 La forme du présentoir variera en fonction de l'objet qu'il doit accueillir. Pour un chapeau, il faudra une demi-sphère que l'on doublera si nécessaire de molleton, en fonction de l'état du chapeau. Pour confectionner un support à la forme du chapeau, commencez par faire un patron de l'intérieur. Doublez-le de coton ou de calicot, que vous assemblerez par une couture ouverte pour créer une housse dont vous ne coudrez pas le bas puisque vous allez glisser le molleton en polyester à l'intérieur avant d'en recouvrir le support. Veillez à bien respecter les formes du chapeau.

INDEX

REMERCIEMENTS DE L'AUTEUR

Je remercie les conservateurs et les experts qui m'ont si gentiment consacré du temps. À New York, merci à : Kate Carmel (Phillips Auctioneers), ex-conservateur de l'American Craft Museum; Lynn Felsher, conservateur « textiles » au Fashion Institute of Technology; Annie Van Assche, conservateur « éducation et textiles » à la Japan Society; Gillian Moss, conservateur « textiles » au Cooper-Hewitt, Smithsonian Museum of Design. Les architectes d'intérieur Mario Buatta et Ronald Bricke ont été fort généreux, et n'ont pas ménagé leurs idées les plus amusantes. Merci à Blanche Greentein, Doris Leslie Blau, Mark Shilen, Lucretia Moroni, Tracy Turner, Helene Verin et Robert Grossman. À Washington D.C., le personnel du Textile Museum s'est montré extrêmement obligeant, en particulier Sumru Belger Krody, conservateur associé « hémisphère oriental » et Claudia Brittenham, conservateur adjoint « hémisphère oriental ». Merci également à l'équipe londonienne de chez Mitchell-Beazley, grâce à qui ce livre a pu voir le jour : Lynn P. Bryan, Mark Fletcher, John Jervis, Jo Walton, Hannah Barnes-Murphy, John Round et Mary Scott.

CRÉDITS PHOTOGRAPHIQUES

L'éditeur souhaite remercier les personnes, sociétés et organismes dont les noms suivent, qui ont accordé l'aimable autorisation de reproduire leurs photographies dans le présent ouvrage

LÉGENDE

h en haut, **b** en bas, **g** à gauche, **d** à droite

AvE Andreas von Einseidel; **CP** Camera Press; **CQ** Carolyn Quartermaine; **EW** Elizabeth Whiting/www.elizabethwhiting.com; **HW** Henry Wilson; **H&G** Homes & Gardens; **I** Inspirations; **IA** The Interior Archive; **II** International Interiors; **IPCS** IPC Syndications; **JB** Jan Baldwin; **LE** Living Etc.; **RM** Ray Main/Mainstream; **MF** Michael Freeman; **N** Narratives; **O&L** Osborne & Little; **RHS** Robert Harding Syndication; **RB** Richard Bryant

Couverture RM; **4e de couverture**, g, Fernando Bengoechea/IA/Propriétaire : Tracey Garrett; **4e de couverture**, d AvE/Alistair Little, tissu : O&L; **pages de garde** RM; **1** EW; **2-3** Polly Wreford/N; **5** AvE/Designer : CQ; **6b** Musée municipal de Sens/Erich Lessing/AKG; **6h** British Library/AKG; **7** British Library/AKG; **8** Musée historique d'État, Moscou/AKG London; **9** AKG London; **10-11** Designer : Boris Sipek/Wolfgang Schwager/Artur; **12** JB/N/Roger Oates Design; **13** JB/N; **14** Galatea : Liberty Furnishings/O&L; **15g** Nicolas Bruant/IA/Designer : CQ; **15d** Polly Wreford/LE/IPCS; **16-17** Designer : Peter Romaniuk/Dennis Gilbert/View; **18** HW/IA/Designer : Anouska Hempel; **19** Wayne Vincent/IA/Designer : Jackie Llewellyn-Bowen; **20h** Verne/Architecte : Jonathan Leitersdorf; **20b** RM; **21** Verne; **22** JB/N; **23** Nick Pope/LE/IPCS; **24** MF/Architecte : Jun Tamaki; **25** MF; **26** Verne/Architecte : Robbrecht & Daem; **27** Dieter Leistner/Artur/Architecte : Engen D. Merkle; **28** Tham nhu tran/H&G/IPCS; **29** RM; **30** Adrian Briscoe/Ideal Home/IPCS; **31** RM/Designer : Kate Blee; **32** JB/N; **32d** RM; **33h** Fatto a Mano, by Lucretia Moroni Ltd; **33b** Deidi von Schaewen; **34-35** William R. Tingey; **36** Jim Holmes/Axiom; **37** Lu Jeffery; **38g** Hiroshi Kutomi/Axiom; **38d** RB/Arcaid/Architecte : Gale & Prior; **39** Masayuki Tsutsui/textile Bashoshu de Toshiko Taira; **40-41** MF; **42** William R. Tingey; **43** Steve Dalton/LE/IPCS; **44g** Fair Lady/CP; **44d** RM; **46** MF; **47g** Tom Leighton/H&G/IPCS; **47b** RM; **48-49** HW/IA/Designer : Anouska Hempel, Propriétaire : Lady Weinbeg; **50** Max Jourdan/CP; **51** RM/Designer : Kelly Hoppen; **52** Andrew Wood/IA/Titre : Asian Elements; **53** Andrew Wood/IA/Titre : Asian Elements; **54-55** RB/Arcaid/Architecte : Tsao & McKnown; **56g** HW/IA/Designer : Albrizzi; **56d** William R. Tingey; **57h** Spike Powell/EW; **57b** Masayuki Tsutsui; **58-59** MF; **60** Fritz von der Schulenburg/IA/Designer : Rima el-Said; **61** Lu Jeffery; **62** Deidi von Schaewen; **63** Chiswick by Liberty Furnishings/O&L; **64** Mark Bolton/Red Cover; **65g** Deidi von Schaewen; **66** Simon Upton/IA/Propriétaire : Simon Upton; **67** RM/Designer : Ellis Flyte; **68-69** Brigitte/CP; **70** JB/N; **71** Schoner Wohen/CP; **72** Fernando Bengoechea/IA/Propriétaire : Deborah Fine; **73** Fernando Bengoechea/IA/Propriétaire : Bengoechea; **74** Fritz von der Schulenburg/IA/Designer : Anokhi, Inde; **75** Fritz von der Schulenburg/IA/Designer : Rima el-Said; **76** Trevor Richards/Abode; **77h** Fernando Bengoechea/IA/Propriétaire : Tracey Garrett; **77b** JB/N; **78** Max Jourdan/CP; **79** Philip Bier/View; **80g** Dedi von Schaewen; **81g** RB/Arcaid; **81hd** Mark Luscombe-Whyte/EW; **82-83** David George/Red Cover; **84** Eduardo Munoz/IA/Designer : Gonzalo Anes; **85** MF; **86** Brock/Abode; **87** Adrian Briscoe/Inspirations/RHS; **88-89** Designer : Sasha Waddell/Paul Ryan/II; **90** Ianthe Ruthven; **91** Deidi von Schaewen; **92** AvE/Alistair Little, tissu : O&L; **93** Sussie Bell/I/RHS; **94h** Dennis Stone/EW; **94b** Deidi von Schaewen; **95** Peter Woloszynski/IA/Accessoires : Southern Style; **96** Jakob Wastberg /IA/Accessoires : Fidenas; **97** Brigitte/CP; **98** Designer : Mary Blanchard/Paul Ryan/II; **99** Pia Tryde/H&G/IPCS; **100-101** Designer : Kathy Gallagher/Paul Ryan/II; **102** Lizzie Orme/I/RHS; **103** Nick Carter/EW; **104h** Spike Powell/I/RHS; **104b** Designer : Marjolyn Wittich/Paul Ryan/II; **105h** Fritze von der Schulenburg/IA/Designer : Jasper Conran; **105b** AvE/Alexandra Stoddart; **106-107** Ianthe Ruthven; **108** Pia Tryde/H&G/IPCS; **109** Fatto a Mano by Lucretia Moroni Ltd; **110** HW/IA/Designer : Emma Kennedy; **111** AvE/Amanda Elisach; **112** EW; **113** EW; **114** RM; **115** AvE/Red Cover; **116** Deidi von Schaewen; **118** Deidi von Schaewen; **119g** Alan Weintraub/Arcaid/Designer : Candra Scott; **119d** C&C, Milan; **120** Deidi von Schaewen; **121** AvE/Designer : Timney-Fowler; **122g** RB/Arcaid; **123** Ian Parry/Abode; **124** Max Jourdan/Abode; **125g** Cecilia Innes/IA/Designer : Lucy Eady; **125d** Lu Jeffery; **126** Minh & Wass; **127** Masayuki Tsutsui; **128g** AvE/Charlotte House Hotel, tissus : Mulberry; **128d** Spike Powell/Ideal Home/IPCS; **129d** Lu Jeffery/EW; **130** C&C, Milan; **132g** Blickling Hall NTPL/Rob Matheson; **132r** Kingston Lacy, NTPL/Ian Shaw; **133d** Kingston Lacy, NTPL/Ian Shaw; **134-139** illustrations © OPG/Amanda Patton; **141** Polly Wreford/N; **142** Tom Stewart/LE/IPCS; **143** RM/Designer : Oriana Fielding-Banks